ROBERT E. HOWARD

A FÊNIX NA ESPADA

I

Copyright © 2021 Pandorga

All rights reserved.
Todos os direitos reservados.
Editora Pandorga
1ª Edição | Novembro 2021

Autor: Robert E. Howard

Diretora Editorial
Silvia Vasconcelos

Editora Assistente
Jéssica Gasparini Martins

Capa e Ilustrações
Ricardo Chagas (Ilustrações de capa e internas)
Lumiar Design

Projeto Gráfico e Diagramação
Rafaela Villela
Lilian Guimarães

Tradução
Ana Paula Rezende
Ananda Alves
Maurício Macedo

Revisão
Caroline Bigaiski
Michael Sanches

PandorgA

Dados Internacionais de Catalogação na Publicação (CIP) de acordo com ISBD

H848f   Howard, Robert E.

A fênix na espada / Robert E. Howard ; traduzido por Ananda Alves, Ana Paula Rezende, Maurício Macedo ; ilustrado por Ricardo Chagas. - Cotia, SP : Pandorga, 2021.
220 p. : il. ; 14cm x 21cm.

Inclui índice.
ISBN: 978-65-5579-136-5

1. Literatura americana. 2. Ficção. 3. Fantasia. 4. Conan. 5. Espada & Feitiçaria. 6. Aventura. I. Alves, Ananda. II. Rezende, Ana Paula. III. Macedo, Maurício. IV. Chagas, Ricardo. V. Título. VI. Série.

2021-3982

CDD 813
CDU 821.111(73)-3

Elaborado por Vagner Rodolfo da Silva - CRB-8/9410

Índice para catálogo sistemático:
1. Literatura americana: Ficção 813
2. Literatura americana: Ficção 821.111(73)-3

SUMÁRIO

APRESENTAÇÃO — 7

ANTES DE CONAN — 13

A ERA HIBORIANA — 15

- A FÊNIX NA ESPADA — 29
- A CIDADELA ESCARLATE — 65
- A TORRE DO ELEFANTE — 121
- O COLOSSO NEGRO — 157

GALERIA DE CAPAS — 209

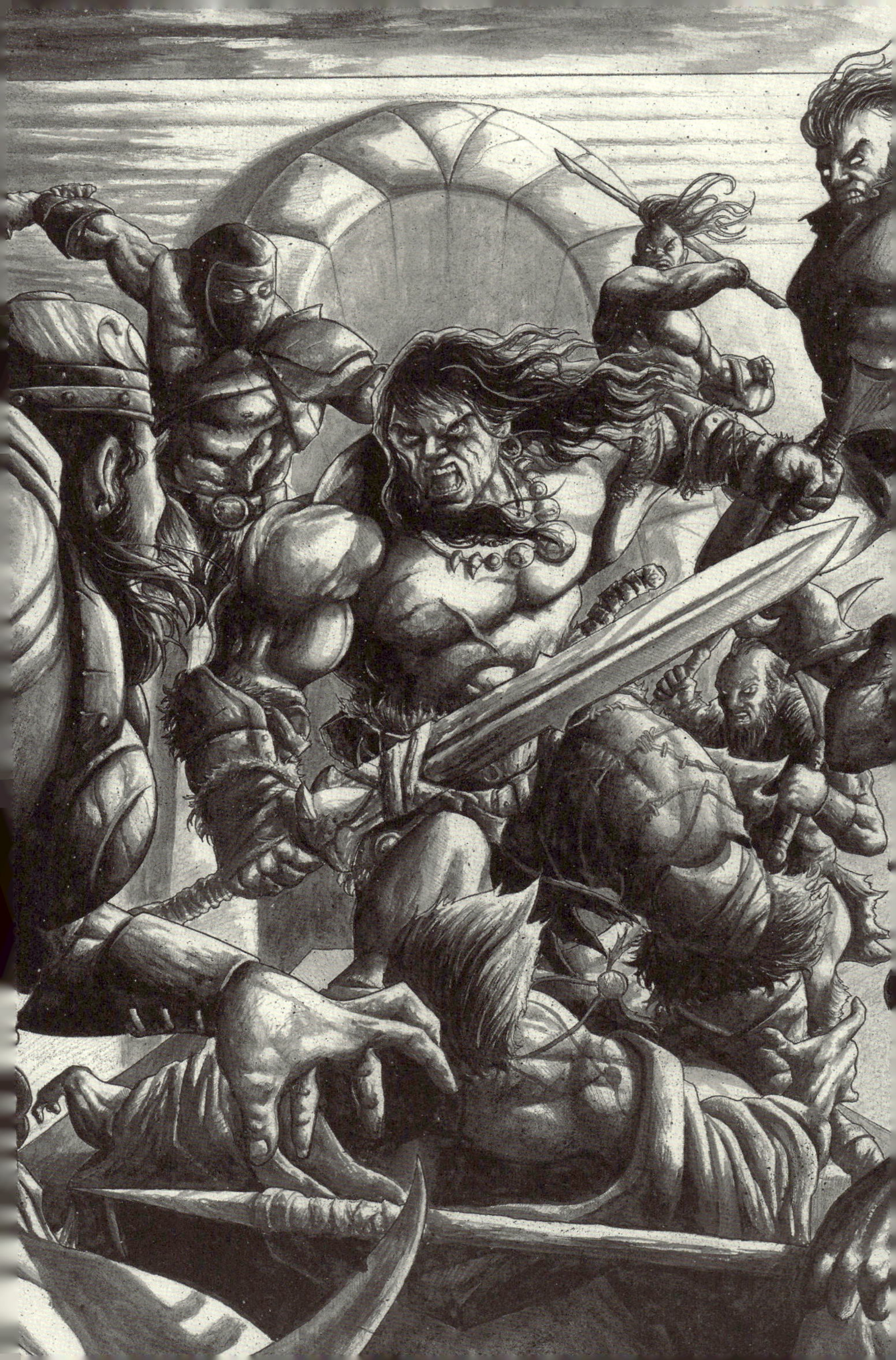

APRESENTAÇÃO

Conan, o bárbaro da Ciméria, surgiu de modo inesperado nas páginas da revista *pulp*[1] *Weird Tales*, em dezembro de 1932, trazendo a um personagem bárbaro uma originalidade e uma vivacidade sem precedentes. Robert E. Howard realizou a façanha de inaugurar um subgênero literário conhecido como "Espada e Feitiçaria", ao produzir as narrativas do bárbaro e compor uma completa *fausse histoire*[2] chamada de Era Hiboriana para comportar as aventuras e o universo de Conan. Esse subgênero aborda mundos fabulosos caracterizados pela presença do sobrenatural e no qual personagens igualmente fantásticas se aventuram em enredos de ação e fantasia.

Conan é um personagem cuja marca literária foi comparada a grandes nomes da ficção como Tarzan, Conde Drácula e Sherlock Holmes. No entanto, o escritor e poeta texano é quase desconhecido no Brasil. A maior parte dos leitores brasileiros só teve contato com Conan, primeiramente, pelo filme homônimo, estrelado por Arnold Schwarzenegger em 1982, e a outra parte pelas adaptações para quadrinhos da obra ou, ainda, pelo mais recente filme de 2011 com Jason Momoa no papel do bárbaro cimério.

---

1 *Pulp magazines* (ou *pulp fictions*) eram revistas de baixa qualidade gráfica, normalmente processadas a partir da polpa do papel, daí o nome, e que eram muito populares nos EUA entre os anos de 1920 e 1950.
2 História fictícia.

As origens de Conan remontam a um experimento literário que Howard escreveu em 1926 intitulado "O Reino das Sombras", em que apresentava um novo personagem: Kull, o exilado de Atlântida. Em sua essência, a ideia era narrar aventuras do personagem ambientado em uma era fictícia, sobre a qual a maioria ou todos os detalhes estão "perdidos nas brumas do tempo". Esse período histórico poderia conter qualquer coisa que Howard pudesse pensar: raças malignas, feiticeiros, zumbis, demônios caminhando sobre a terra, qualquer coisa que sua imaginação criasse.

O problema é que o contexto em que a história se passava era de um passado distante demais e havia tão pouco em comum com o mundo moderno que o público não conseguiu criar uma conexão com a história. "O reino das sombras" foi bem recebido, mas, ainda assim, a *Weird Tales* rejeitou as várias histórias subsequentes de Kull, levando Howard a abandonar o projeto.

Ao mesmo tempo, porém, obtia sucesso com outra ficção histórica: o inglês selvagem e puritano Solomon Kane. O mundo de Kane era o caos da Europa e do norte da África no período da Guerra dos Trinta Anos, início dos anos 1600. Liberdades históricas eram possíveis, pois alguns eventos específicios desse período permaneciam obscuros e conhecidos apenas o suficiente para que a verossimilhança se mantivesse ao incluir eventos de magia negra, esqueletos ambulantes, vampiros e, claro, N'Longa, o feiticeiro. No entanto, os países da Europa dos anos 1630 são bem conhecidos; as causas do conflito são totalmente compreendidas. Por esse motivo talvez, a conexão imediata do público com a personagem, aparecida na *Weird Tales* em 1938, em "Red Shadows", tenha sido, dessa vez, próxima até demais e Howard viu como limitadas as aventuras de Kane.

Portanto, é totalmente compreensível que depois do mundo pré-histórico de Kull e do mundo seiscentista de Solomon Kane, Howard chegasse a um meio termo, desenvolvendo um mundo longe o suficiente no passado, livre de restrições históricas reais, e perto o suficiente do presente para ainda ecoar as lendas e as mitologias do mundo.

É assim que estabelece em suas narrativas um tempo de cerca de doze mil anos antes do presente chamado de Era Hiboriana. Para acrescentar verossimilhança, todos os resquícios dessa era, bem como os vestígios arqueológicos foram eliminados por um cataclismo global que lançou toda a humanidade de volta para a barbárie da Idade da Pedra. A fim de desbravar esse mundo, Howard criou Conan, o Cimério. Conan tornou-se o arquétipo de vários outros personagens, ainda que suas características particulares sejam igualmente marcantes, destacando-se o ambiente ficcional ricamente elaborado por trás das narrativas.

Além de situar seu mais famoso personagem e dar a ele traços de uma personalidade complexa, Howard traçou aspectos de cunho filosófico em suas tramas, na medida em que o tema central destas é a constante oposição entre civilização e barbárie. Conan se comporta violenta, sanguinária e rusticamente, porém de forma honesta e honrada frente às ações corruptas dos homens civilizados. Para Howard, a barbárie pode ser necessária diante de uma crise civilizacional.

Por outro lado, é inegável que o viés de darwinismo social usado pelo escritor em seus contos seja antiquado hoje em dia frente às lutas contemporâneas pela igualdade racial. No entanto, cabe lembrar que, a exemplo de vários de seus pares, como Lovecraft e outros grandes escritores do período, Howard foi fruto de sua época. Não que isso seja uma justificativa para legitimar qualquer atitude racista, mas com certeza é uma exposição não negacionista das manifestações do comportamento de um homem caucasiano, nascido e criado no Texas durante as primeiras décadas do século XX.

Outra crítica ao escritor diz respeito à sua visão em relação às mulheres. De escravas a rainhas, jovens ou adultas de boas ou más índoles, todas acabam cedendo aos encantos de Conan. São personagens fortes, mas que quase sempre precisam ser resgatadas e de uma forma ou de outra se submetem ao bárbaro. No mundo contemporâneo, as histórias de Conan, no mínimo, suscitam importantes discussões e abrem espaço para problematizações de cunho social.

No que tange ao *corpus* das narrativas de Conan, existe uma divisão artificial, observada pela análise posterior da tradicional fortuna crítica, que estabelece três períodos distintos: PERÍODO INICIAL, INTERMEDIÁRIO e ERA DE OURO. Esses períodos nada tem a ver com o tempo da narrativa ou com o tempo cronológico, mas, sim, diz respeito a um certo estilo de escrita impingido por Howard na elaboração das histórias de Conan. O período classificado como INICIAL, teria uma dimensão experimental evidente, pois é nesse momento que o universo ficcional e o caráter de Conan ganham maior consistência. Já o perído chamado de INTERMEDIÁRIO seria um momento em que a crise econômica advinda da Grande Depressão faz Howard compor histórias mais formulaicas a fim de ter um rendimento mais comercial. Por fim, o período conhecido como ERA DE OURO, seria o momento de maturidade na escrita do autor, deixando o caráter de Conan mais complexo e as histórias mais prismáticas de um ponto de vista social e abrindo mais espaço para a reflexão sobre dicotomias importantes como Barbarismo e Civilização, Violência e Paz, Sofrimento e Prazer etc.

É importante ressaltar que essa divisão é baseada em um conceito valorativo que de forma alguma é exato. Há vários exemplos de obras do período dito INTERMEDIÁRIO que mostram certas explorações, e experimentos literários que se esperaria ver no período INICIAL, ou a presença de certos tópicos que normalmente são problematizados na ERA DE OURO. Esse primeiro volume se concentrará nas histórias desse primeiro período, repleto de originalidade e inovações que dão ignição à extensa obra que se seguirá.

Apesar de todas essas questões e de todos os seus desdobramentos e reverberações, Conan é um dos personagens seminais da fantasia épica. As histórias mantêm a energia e intensidade que envolverão os leitores contemporâneos, se eles puderem lê-las tendo em mente seu contexto original e deixando a crítica literária em seu lugar naturalmente secundário em relação a própria obra.

O que o novo leitor das histórias de Conan obterá desta seleção? Os que conhecem Conan apenas pelos filmes de Schwarzenegger ou Momoa poderão se surpreender com o que será lido aqui. O Conan dos contos é um personagem mais multifacetado do que os dos filmes, é mais pensativo, inteligente, engenhoso e astuto. Estamos tratando de um gênero marcadamente fantasioso, no qual os personagens se deslocam e se aventuram por mundos completamente diferentes do nosso, onde a magia, a bruxaria e as criaturas mais incríveis de nossas mitologias ganham vida.

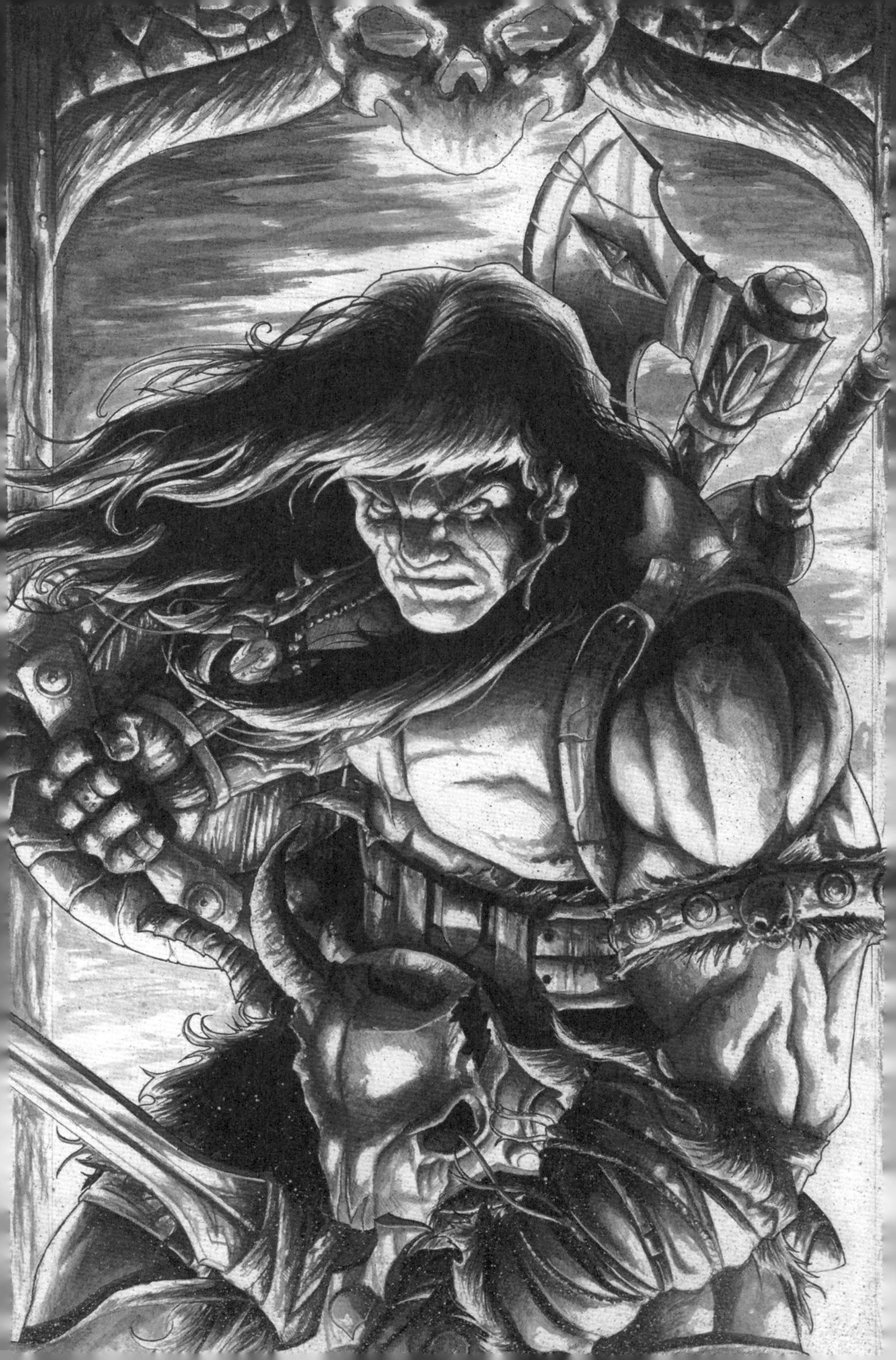

ANTES DO CONAN

O ensaio a seguir foi editado no começo de 1932 e publicado posteriormente na edição de fevereiro-novembro de 1936 do *The Phantagraph*, uma imprensa amadora, que produz cópias mimeografadas. Foi lançado após Howard retornar de sua viagem a Fredericksburg, no Texas, onde teve uma grande inspiração depois de contemplar uma região montanhosa em meio à chuva de inverno.

A fim de ambientar Conan e suas aventuras, Robert E. Howard criou uma um intrincado mundo ficcional de uma era imaginária: a Era Hiboriana. Sua complexidade e detalhamento foram tamanhos que o autor viu-se obrigado a incluir uma nota esclarecendo que seu texto cosmogônico era completamente fictício.

O escopo da Era Hiboriana de Howard compreende um contexto histórico, geográfico, sociocultural que traça certos paralelos com a dimensão, repartição e superestrutura de outros mundos ficcionais, o principal deles sendo a famosa Terra Média de J. R. R. Tolkien, autor de *O senhor dos Anéis*. O nível de elaboração é equivalente, já que em ambos existe um todo orgânico ricamente abastecido por fontes de mitologia, de literatura, de linguística, de antropologia e história universal.

Em suas narrativas evocou o espírito e a essência de várias mitologias, entre elas, obviamente, se encontram a celta, mas também a nórdica, a eslávica e a grega. Além disso, também lançou mão de inspirações advindas de outros universos ficcionais como o de seu amigo e colega de profissão, o escritor de horror cósmico, H. P. Lovecraft, com quem constantemente trocou cartas.

Um par dicotômico muito caro a Robert E. Howard era o de BARBÁRIE vs. CIVILIZAÇÃO, e se utilizaria da submersão da mítica Atlântida como o ponto de ignição de suas narrativas. Tanto essa tensão como esse marco zero se imiscuiriam com uma peculiar cosmovisão judaico-cristã, formando uma amálgama tão perfeita, que mesmo as diferenças não seriam capazes de quebrar sua organicidade.

A geografia de seu mundo ficcional, contudo, também encontra correspondências com a geografia do mundo real. As umbrosas florestas e a topografia acidentada da terra da Ciméria podem, por exemplo, ser identificadas com as Ilhas Britânicas, cindidas após o grande cataclismo. Usou também sua acurada e sensível observação da população do mundo moderno para delinear seus próprios povos ficcionais, a saber, os Atlantes seriam os ascendentes diretos dos Cimérios, que por sua vez, compartilhando várias características físicas como uma alta estatura, olhos claros etc., seriam os ascendentes potenciais, dentro de sua composição artística, dos irlandeses e dos escoceses das montanhas: os *highlanders*.

A ERA HIBORIANA[3]

(Nada neste artigo deve ser considerado uma tentativa de elaborar quaisquer teorias em oposição à história atualmente comprovada. É apenas um pano de fundo imaginário para uma série de narrativas ficcionais. Quando eu comecei a escrever as histórias de Conan há alguns anos, preparei essa "história" de sua época e dos povos de sua era, para conferir a ele e a suas aventuras um aspecto mais elevado de realidade. E julguei que me mantendo fiel aos "fatos" e à essência dessa história, quando fosse escrever as narrativas, seria mais fácil visualizá-lo (e, por conseguinte, mostrá-lo) como um personagem de carne e osso em vez de um produto feito de uma hora para a outra. Ao redigir sobre ele e suas aventuras nos vários reinos de sua era, nunca violei os "fatos" ou a essência da história aqui registrada, mas segui as linhas dessa história tão fielmente quanto, de fato, um escritor de ficção histórica mantém-se paralelo às linhas da história real. Eu tenho usado essa "história" como um guia para todas as narrativas dessas séries que eu escrevi.)

---

[3] Ensaio originalmente lançado no *The Phantagraph* em 1936. Esse é apenas um excerto, o ensaio na íntegra foi publicado em *The Hyborian Age*, de 1938. (N. E.)

Dessa época chamada pelos cronistas de Nemédia como a Era Pré-Cataclísmica, pouco é conhecido, exceto por seu período tardio, e mesmo ele é velado pelas brumas dos mitos. A história conhecida começa com o declínio da civilização pré-cataclísmica, dominada pelos reinos de Kamélia, Valúsia, Verúlia, Grondar, Thule e Commoria. Todos esses povos são nativos de uma mesma língua, por isso alegavam uma origem em comum. Houve outros reinos civilizados em mesma proporção, contudo habitado por diferentes raças e, aparentemente, mais antigas.

Os bárbaros daquela época eram os pictos, que habitavam distantes ilhas no mar ocidental; os atlantes, que residiam no diminuto continente entre as ilhas pictas e o continente principal, ou thuriano; e, por fim, os lemurianos que povoavam um encadeamento de ilhas no hemisfério oriental.

Houve também vastas regiões de terra inexplorada. Os reinos civilizados, embora imensos em extensão, ocupavam uma parcela ínfima do planeta inteiro. Valúsia era o reino mais a oeste do continente thuriano, enquanto Grondar o mais a leste. Extendia-se a leste de Grondar uma árida e estéril vastidão de desertos, cujo povo possuía menos cultura do que os seus reinos aparentados. Entre as menos desoladas faixas de deserto, no interior das florestas e em meio às montanhas, viviam clãs espalhados e tribos de primitivos selvagens. Mais ao sul havia uma civilização misteriosa, completamente desconectada com a cultura thuriana e, aparentemente, pré-humana em sua própria constituição. Nas extremidades costeiras mais a leste do continente, habitava outra raça, dessa vez humana, todavia não menos enigmática, também não ligada à cultura thuriana, com a qual os lemurianos travavam contato de tempos em tempos. Eles, supostamente, vieram de um obscuro e não nomeado continente localizado em algum lugar a leste das ilhas lemurianas.

A civilização thuriana estava em declínio; seu exército era composto majoritariamente por mercenários bárbaros. Pictos, atlantes e lemurianos obtinham os cargos de generais, governantes e, frequentemente, de reis. Das disputas entre os reinos e das guerras entre Valúsia e Commoria, bem como das campanhas de conquista pelas quais os atlantes fundaram um reino no continente principal, havia mais lendas do que história fidedigna.

Então, o Cataclismo abalou o mundo. Atlântida e Lemúria afundaram e as ilhas pictas foram alçadas para formar os picos montanhosos do novo continente. Algumas partes do continente thuriano simplesmente desapareceram sob as ondas, outras, ao afundar, formaram grandes mares e lagos continentais. Vulcões irromperam e tremendos terremotos fizeram vir abaixo as cintilantes cidades dos impérios. Nações inteiras foram dizimadas.

Os bárbaros se saíram um pouco melhor do que os civilizados. Os habitantes das ilhas pictas foram completamente destruídos, porém uma grande colônia deles, estabelecida entre as montanhas da fronteira sul de Valúsia para servir como resistência contra as invasões estrangeiras, permaneceu intocada. O reino continental dos atlantes similarmente também escapou da ruína geral, e para isso, das terras que afundavam, vieram milhares de seus companheiros de tribo. Muitos lemurianos conseguiram escapar para a costa leste do continente thuriano, que estava, em comparação com o restante, incólume. Lá, no entanto, foram escravizados pela antiga raça que já habitava o lugar, e sua história, por milhares de anos, se resumiu a uma história de brutal servidão.

Na parte ocidental do continente, a mudança na condição natural criou estranhas formas de fauna e flora. Espessas florestas cobriam as planícies, grandes rios sulcavam seu caminho ao mar, soerguiam-se montanhas indômitas e formações lacustres cobriam as ruinas das antigas cidades nos vales férteis. Das áreas submersas até o continental reino dos atlantes, uma profusão de feras e selvagens se aglomeravam — homens-macacos e macacos. Impelidos por uma contínua disputa pelas suas vidas, eles manejavam reter vestígios de seu prévio estado, que era altamente avançado para bárbaros. Tolhidos de seus metais e minérios, tornaram-se artesãos de pedra como seus arcaicos ancestrais, e, de fato, alcançaram um nível verdadeiramente artístico, quando a sua ainda emergente cultura entrou em contato com a poderosa nação picta. Os pictos também retornaram ao talhe em rocha, contudo avançaram mais rapidamente no que diz respeito ao crescimento populacional e à ciência militar. Eles não tinham nada da natureza artística dos atlantes: eles eram uma raça mais bruta, mais prática e mais prolífica. Não deixaram legado de imagens pintadas ou esculpidas em marfim, como o fizeram seus inimigos, no entanto sobraram em abundância extraordinárias e eficientes armas de pedra.

Após as guerras picto-atlânticas terem destruído o começo do que poderia ter sido uma nova cultura, outro cataclismo menos intenso alterou mais a aparência do continente original, deixando um grande mar interno onde originalmente o encadeamento lacustre estivera, para reforçar ainda mais a separação do Oeste com o Leste, e, assim, os simultâneos terremotos, enchentes e vulcões completaram a ruína dos bárbaros que suas guerras tribais iniciaram.

Mil anos após esse cataclismo menos intenso ocorrer, o mundo ocidental é aparentemente uma desolação de regiões florestais, lacustres e de cascatas. Na região noroeste, entre as colinas cobertas pela mata, existem bandos nômades de homens-macacos, sem comunicação humana ou conhecimento do fogo e do uso de ferramentas. Eles são descendentes dos atlantes, jogados novamente ao violento caos da bestialidade selvagem da qual, em eras passadas, seus ancestrais tão laboriosamente engatinharam para fora. Ao sudoeste residem dispersos clãs de degradados e cavernosos selvagens, cuja fala está em sua forma mais primitiva, no entanto, são quem ainda retêm o nome de pictos, que passou a ser meramente o termo designativo a Homem, isto é, eles mesmos, para distingui-los das verdadeiras feras com quem eles lutavam por sobrevivência e por comida. É o seu único elo com seu prévio estado. Nem os esquálidos pictos nem os símios atlantes estabeleciam qualquer contato com outras tribos ou povos.

Já no extremo Leste, os lemurianos, nivelados eles mesmos a um estado de quase completa bestialidade devido à violência de sua escravidão, insurgiram-se e destruíram seus mestres. Eles são selvagens vagando entre ruínas de uma civilização estranha. Os sobreviventes dessa civilização, que escaparam da fúria de seus escravos, rumaram sentido oeste. Depararam-se com aquele misterioso reino pré-humano do Sul e o derrubaram, substituindo a cultura deles por sua própria, embora já modificada pelo contato com a mais antiga. O novo reino é chamado de Estígia e vestígios da nação antiga parecem ter sobrevivido, e até mesmo sido adorados, após a raça ser completamente destruída.

Em diversos pontos do mundo, pequenos grupos de selvagens estão mostrando sinais de uma tendência ascensional, esses são esparsos e não identificados. Mas na região norte, as tribos estão crescendo. Esse povo é chamado de hiborianos, ou hibori. Seu deus era Bori, um grande líder cuja lenda o fez ainda mais velho do que o rei que os liderou ao norte, nos dias do grande Cataclismo, e de quem as tribos lembram apenas por um distorcido folclore.

Eles se espalharam pelo norte e estão avançando em direção ao sul em expedições não militares. Até agora não entraram em contato com nenhuma outra raça; suas guerras têm sido intestinas. Mil e quinhentos anos no norte fizeram deles altos, com cabelos loiros, olhos cinzentos, robustos e belicosos e já mostrando indícios de uma bem definida veia artística e poesia naturalista. Eles ainda vivem essencialmente da caça, porém as tribos mais ao sul têm praticado a pecuária já há alguns séculos. Há uma única exceção em seu, até agora, completo isolamento de outras raças: um viajante do extremo norte retornou com notícias de que os supostamente desertos de gelo eram habitados por uma grande tribo de homens-macacos, descendentes, segundo ele jurava, das feras banidas das terras mais habitáveis pelos ancestrais dos hiborianos. Ele exortava que uma comitiva de guerra fosse enviada para além do ciclo ártico a fim de exterminar essas feras, as quais ele também jurava estar evoluindo para verdadeiros homens. Ele foi caçoado, e apenas um pequeno grupo de aventurosos jovens guerreiros o acompanhara ao norte, mas nenhum deles retornou.

Mas as tribos de hiborianos estavam migrando ao sul, e ao passo que a população crescia mais, esse movimento foi ganhando força. A era seguinte foi uma época de migração e conquista. Ao longo da história do mundo, as tribos e seus deslocamentos avançaram e mudaram o panorama mundial altamente dinâmico.

Veja o mundo quinhentos anos depois. Tribos de hiborianos, com seus cabelos loiros, se deslocaram para o sul e para o oeste, conquistando e destruindo muitos dos clãs não identificados. Absorvendo o sangue de raças conquistadas, os já descendentes dos antigos migrantes começaram a mostrar traços raciais modificados, e essas raças misturadas são duramente atacadas por novos migrantes de sangue puro e são por eles varridos, como uma vassoura que varre imparcialmente os detritos, tornando-se ainda mais misturados e miscigenados no emaranhado de resquícios raciais.

Os conquistadores ainda não tinham estabelecido contato com as raças antigas. A sudeste, os descendentes dos zhemri, engradecidos pelo novo sangue resultado da miscigenação com uma tribo desconhecida, começavam a buscar reviver uma opaca sombra de sua antiga cultura. A oeste os símios atlantes estão começando a longa jornada ascensional. Completaram o ciclo de existência e há muito esqueceram sua prévia existência como homens; não cientes de nenhum estado anterior, estão começando sua escalada sem ajuda e desimpedidos de alguma memória humana. Ao sul deles, os pictos permanecem selvagens, aparentemente desafiando as leis da natureza por não progredir tampouco retroceder. Das mais afastadas e oníricas regiões ao sul está o arcaico e arcano reino de Estígia. Em suas fronteiras orientais, clãs nômades vagueiam, já conhecidos como os filhos de Sem.

Próximo aos pictos, no vasto vale de Zingg, protegido por grandes cordilheiras, um bando anônimo de primitivos, provisoriamente chamados de parentes dos semitas, desenvolveu um avançado sistema de subsistência agrícola.

Outro fator pode ser adicionado ao ímpeto da migração hiboriana. Uma tribo dessa raça descobriu o uso de rochas para a construção de alvenaria e, assim, o primeiro reino hiboriano nascera. O bruto e bárbaro reino de Hiperbórea, que tivera seu início em um rústico forte de rochas amontoadas para repelir ataques de outras tribos. As pessoas dessa tribo logo abandonaram suas tendas de couro de cavalo para morar em casas de alvenaria grosseiramente construídas, porém firmes, e, uma vez protegidos, tornaram-se mais fortes. Há poucos outros eventos tão dramáticos na história do que a ascensão do rústico, poderoso reino de Hiperbórea, cujo povo, de suas vidas nômades, passou abruptamente a residir em moradias de pedra bruta, cercado por paredes ciclópicas. Uma raça emergida da Era da Pedra Polida, que por um golpe do acaso, aprendeu os princípios mais fundamentais da arquitetura.

A aurora desse reino influenciou o exílio de muitas outras tribos, pois, tendo sido derrotadas na guerra, ou se recusando a tornarem-se tributárias para as residências palacianas de seus compatriotas, muitos clãs foram forçados a fazer longas viagens que os levaram para a outra metade do mundo. E já as tribos mais ao norte estavam começando a ser atormentadas pelos gigantescos selvagens loiros, não muito mais evoluídos do que homens-macacos.

O relato dos próximos mil anos é o relato da ascensão dos hiborianos, cujas tribos belicosas dominaram o mundo ocidental. Reinos rústicos começam a tomar forma. Os invasores de cabelos loiros se defrontaram com os pictos, forçando-os às terras desoladas do oeste. No noroeste, os descendentes dos atlantes, escalando do seu estado de símio sem auxílio algum, ainda não se depararam com os conquistadores. No extremo leste os lemurianos estão desenvolvendo uma peculiar semicivilização que lhes é própria. Ao Sul, os hiborianos fundam o reino de Koth, nas bordas das regiões pastorais denominadas Terras de Sem, e os selvagens dessas regiões, em parte devido ao contato com os hiborianos e em parte pelo contato com o estígios, estão emergindo do barbarismo. Os selvagens loiros do extremo norte cresceram em poder e em população a tal ponto que as nortistas tribos hiborianas migraram em direção ao sul, levando seus clãs aparentados consigo. O antigo reino de Hiperbórea é destruído por uma dessas tribos do norte, que, no entanto, mantem seu antigo nome. A sudeste de Hiperbórea um reino dos zhemri surgira sob o nome de Zamora. A sudoeste, uma tribo de pictos invadira o fértil vale de Zingg, conquistou o povo agrícola e se estabeleceu entre eles. Essa raça miscigenada foi, por sua vez, mais tarde conquistada por uma tribo itinerante dos hiborianos, e desses elementos entrelaçados nascera o reino de Zíngara.

Após quinhentos anos os reinos do mundo estavam claramente definidos. Os reinos dos hiborianos — Aquilônia, Nemédia, Britúnia, Hiperbórea, Koth, Ophir, Argos, Corínthia, e um conhecido como o Reino da Fronteira — dominavam o mundo ocidental. Zamora que se encontra a leste e Zíngara ao sudoeste desses reinos, são pessoas semelhantes na cor escura de suas peles e nos seus exóticos hábitos, mas, fora isso, não possuem relação. Em grande distância ao sul repousa Estígia, imaculada de invasões estrangeiras, no entanto os povos de Sem trocaram o jugo estígio pelo menos desagradável de Koth. Os mestres mais escuros foram impelidos ao sul pelo grande rio Estige, Nilus ou Nilo, que afluindo norte pelas umbrosas terras do interior, serpenteia quase em ângulos perfeitos e flui em direção ao oeste através dos pastorais prados de Sem, para desembocar no grande mar. No norte da Aquilônia, a região mais ocidental do reino hiboriano, habita os Cimérios, selvagens ferozes, indômitos pelos invasores, mas que evoluem rapidamente em virtude de seu contato com eles. São descendentes dos atlantes, progredindo agora mais acentuadamente que seus antigos inimigos, os pictos, que residem nos desertos a oeste da Aquilônia.

Outros quinhentos anos depois e os povos hiborianos são os detentores de uma civilização tão viril que o contato com ela praticamente extinguia as selvagerias brutais das tribos contatadas. O reino mais poderoso é Aquilônia, mas os outros disputam com ele em força e miscigenação. Os mais próximos das antigas raízes são os gunderlandeses da Gunderlândia, uma província ao norte da Aquilônia. Mas essa miscigenação não enfraqueceu a raça. Eles são supremos no mundo ocidental, embora os bárbaros dos desertos estejam crescendo em força.

No norte, a raça de bárbaros do cabelo dourado e dos olhos azuis, descendentes dos selvagens loiros do ártico, expulsaram as tribos remanescentes dos hiborianos para fora das regiões nevadas, exceto o antigo reino de Hiperbórea, que resiste ao seu massacre. Seu país é chamado de Nordheim, e eles estão divididos entre os ruivos vanires de Vanaheim e nos loiros aesires de Asgard.

Agora os lemurianos entram na história novamente como hirkanianos. Através dos séculos eles forçaram constantemente em direção ao oeste, e agora uma tribo rodeia o limite sul do grande mar interno — Vilayet — e estabelece o reino de Turan na costa sudoeste. Entre o mar interno e as fronteiras orientais dos reinos nativos existe uma vastidão de estepes e, no extremo sul e no extremo norte, desertos. Os habitantes não hirkanianos desses territórios são dispersos e agricultores, desconhecidos no norte e semitas no sul, aborígenes, com um fino traço de sangue hiboriano de conquistadores errantes. Ao aproximar-se do final do período, outros clãs hirkanianos forçavam em direção a oeste, ao redor da extremidade norte do mar interno, e se confrotavam com os hiperboreanos postos avançados do leste.

Esse foi um rápido olhar aos povos dessa era. A aparência predominante dos hiborianos não é mais a uniforme característica de cabelos loiros e olhos cinzentos. Eles se miscigenaram com outras raças. Há um forte traço semita e até mesmo estígio entre a população de Koth, e em menor escala, em Argos, enquanto, no caso dessa última, a mistura com os zíngaros é mais extensa do que com os semitas. Os britunianos a leste se casaram com os zamorianos de pele negra, e o povo aquilônio ao sul se misturou com os morenos zíngaros de tal maneira que cabelos pretos e olhos castanhos são o fenótipo dominante em Poitain, a província mais ao sul.

O antigo reino de Hiperbórea é mais afastado do que os outros, ainda assim há muito sangue estrangeiro correndo em suas veias, uma vez que capturaram mulheres estrangeiras: hirkanianas, aesires e zamorianas. Apenas na província de Gunderlândia, onde as pessoas não mantêm escravos, há uma raça imaculadamente pura de hiborianos. Os bárbaros, todavia, mantiveram sua linhagem de sangue pura. Os cimérios são altos e poderosos, com cabelos escuros e olhos azuis ou acinzentados. Os povos de Nordheim são similares, mas com pele branca, olhos azuis e cabelos loiros ou ruivos. Os pictos continuam com a mesma aparência que sempre tiveram: baixos, pele negra retinta, com olhos e cabelos pretos. Os hirkanianos são morenos e geralmente altos e magros, embora um tipo baixo de olhos amendoados seja mais e mais comum entre eles, resultado de uma mistura com uma curiosa raça de aborígenes inteligentes, apesar de raquíticos, que fora conquistada por eles entre as montanhas ao leste de Vilayet, em meio a sua migração para o oeste. Os semitas são geralmente de estatura média, embora às vezes quando misturados com a raça estígia se tornem gigantescos, de porte largo e robusto, narizes aduncos, olhos negros e cabelos preto-azulados. Os estígios são altos e bem formados, de pele escura, traços angulosos, ou pelo menos as classes dominantes são assim. As classes subalternas são uma oprimida horda mestiça, uma mistura de sangue negroide, estígia, semita e até mesmo hiboriano. Ao sul de Estígia estão os vastos reinos obscuros das amazonas, dos kushitas, dos atlaianos e do híbrido império de Zimbabo.

Entre a Aquilônia e os desertos pictas encontram-se as marchas bossonianas, povos descendentes de uma raça aborígene conquistada pela tribo dos hiborianos, no início das primeiras eras da migração hiboriana. A mistura de raça nunca alcançou a civilidade dos puros hiborianos e foram sendo afastadas por eles para a própria borda do mundo civilizado. Os bossonianos possuem estatura e porte medianos, seus olhos são castanhos ou acinzentados e têm crânios mesocefálicos. Vivem principalmente por meio da agricultura, em largas vilas muradas, e fazem parte do reino aquilônio. Suas marchas se estendem do Reino da Fronteira, no norte, até Zíngara, no sudoeste, formando um baluarte de proteção para Aquilônia contra os cimérios e os pictos. São guerreiros obstinados e de postura defensiva, e séculos de campanha de guerra contra os bárbaros do norte e do oeste lhes causaram uma espécie de tipo de defesa quase inacessível a ataques diretos.

Esse era o mundo enquanto Conan viveu.

VANAHEIM

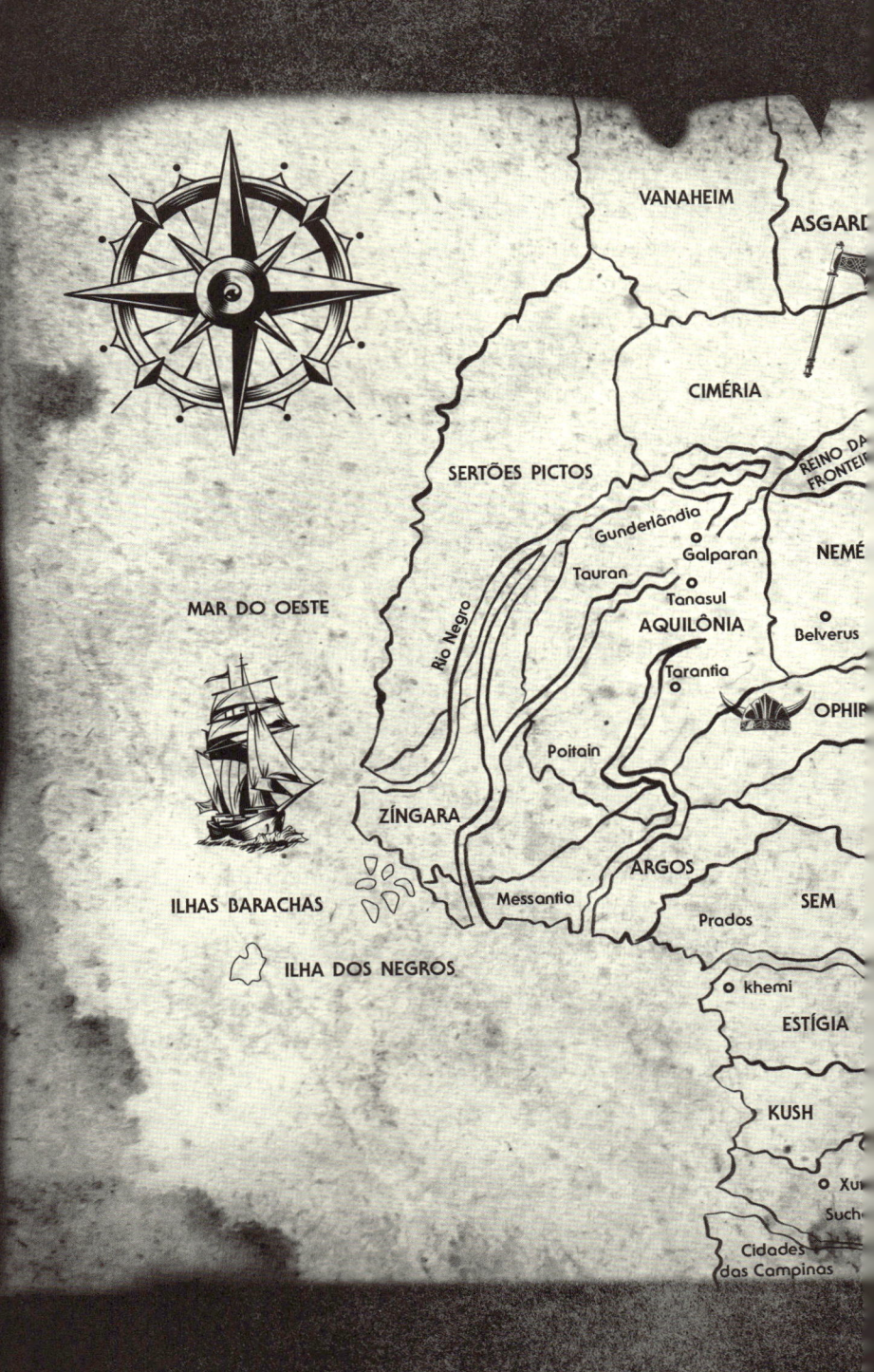

ASGARD

CIMÉRIA

REINO DA
FRONTEIRA

SERTÕES PICTOS

Gunderlândia

Galparan

NEMÉ

Tauran

Tanasul

AQUILÔNIA

MAR DO OESTE

Belverus

Rio Negro

Tarantia

OPHIR

Poitain

ZÍNGARA

ARGOS

SEM

ILHAS BARACHAS

Messantia

Prados

ILHA DOS NEGROS

o khemi

ESTÍGIA

KUSH

o Xu
Such

Cidades
das Campinas

Map

- HIPERBÓREA
- BRITÚNIA
- CORINTHIA
- ZAMORA
  - Shadizar
- KOTH
- KHAURAN
- KHORAJÁ
- Rio Estige
- Sukhmet
- KESHAN
- PUNT
- ZIMBABO
- Reinos Negros
- Desertos
- Kutchemes
- Zamboula
- TURAN
- MAR VILAYET
- Agrapur
- Xapur
- Ft. Ghori
- HIRKÂNIA
- Para Knitai
- Pah-dishah
- Makalet
- Rio Zaporocka
- Para VENDHIA
- Desertos

A primeira narrativa de Conan a ser publicada apareceu em dezembro de 1932, na revista de *pulp fiction Weird Tales* e pertence ao chamado Período Inicial das histórias do bárbaro. Sua composição se deu depois de mais ou menos dois meses após Howard ter tido a ideia da Era Hiboriana; antes sequer de ter deixado o universo ficcional plenamente desenvolvido.

O conto narra Conan em sua meia-idade, em torno dos seus quarenta anos, após tomar o reino fictício da Aquilônia e matar seu rei, Numedides. Um complô, no entanto, será feito para remover a coroa do bárbaro usurpador. O autor para montar essa trama, alterou umas das derradeiras histórias de Kull, intitulada "Com este machado, eu governo!", limpou o subenredo romântico, e acrescentou a presença do sobrenatural por meio do feiticeiro estígio Thoth-Amon.

A FÊNIX NA ESPADA

I

> "SAIBA, Ó PRÍNCIPE, QUE ENTRE OS ANOS EM QUE OS OCEANOS SORVERAM A ATLÂNTIDA E AS CIDADES RELUZENTES, E OS ANOS DA ASCENSÃO DOS FILHOS DE ARIAS, HOUVE UMA ERA INIMAGINADA, QUANDO REINOS BRILHANTES SE ESPALHAVAM PELO MUNDO COMO MANTOS AZUIS SOB AS ESTRELAS. NEMÉDIA, OPHIR, BRITÚNIA, HIPERBÓREA, ZAMORA COM SUAS MULHERES DE CABELOS ESCUROS E TORRES MISTERIOSAS ASSOMBRADAS POR ARANHAS, ZÍNGARA E SUA NOBREZA, KOTH, QUE BEIRAVA OS CAMPOS PASTORAIS DE SEM, ESTÍGIA COM SUAS TUMBAS PROTEGIDAS PELAS SOMBRAS, HIRKÂNIA, CUJOS CAVALEIROS USAVAM AÇO, SEDA E OURO. PORÉM, O REINO MAIS ORGULHOSO DO MUNDO ERA O DE AQUILÔNIA, REINANDO SUPREMO NO OESTE SONHADOR. ALI CHEGOU CONAN, O CIMÉRIO, DE CABELOS NEGROS, OLHAR SOTURNO E ESPADA EM PUNHO, UM LADRÃO, UM SAQUEADOR, UM MATADOR, COM GIGANTESCAS MELANCOLIAS E SEMELHANTE ALEGRIA, PARA TRILHAR OS TRONOS ADORNADOS DE JOIAS DA TERRA SOB SEUS PÉS CALÇADOS EM SANDÁLIAS."

– As Crônicas da Nemédia.

A cima de pináculos sombrios e torres reluzentes, jaziam as trevas fantasmagóricas e o silêncio que se espalha antes do amanhecer. Em um beco sombrio, um verdadeiramente labiríntico com sinuosos caminhos misteriosos, quatro vultos mascarados vieram apressadamente de uma porta que uma mão escura abrira furtivamente. Eles nada falaram enquanto avançavam rapidamente pelas trevas, enrolados em suas capas; e tão silenciosamente quanto os fantasmas de homens assassinados, desapareceram na escuridão. Atrás deles, um semblante sardônico estava emoldurado pela porta parcialmente aberta, um par de olhos malignos reluzindo malevolamente nas trevas.

— Vão para as trevas, criaturas da noite — zombou uma voz. — Ah, tolos, sua perdição está nos seus calcanhares, como um cão cego, e não sabem disso.

O dono da voz fechou a porta, passando a tranca, depois se virou e seguiu corredor acima com uma vela na mão. Era um gigante sombrio, cuja pele escura revelava seu sangue estígio. Chegou a uma câmera interna, onde um homem alto e magro usando veludo desbotado estava reclinado como um grande gato preguiçoso em um sofá de seda, bebendo vinho de uma enorme taça dourada.

— Bem, Ascalante — disse o estígio, deixando a vela de lado. — Seus ludibriados já se esgueiram pelas ruas como ratos saindo das tocas. Você trabalha com ferramentas estranhas.

— Ferramentas? — retrucou Ascalante. — Ora, é assim que me veem. Por vários meses, desde que os Quatro Rebeldes me convocaram do deserto ao sul, eu tenho vivido bem no coração dos meus inimigos, me escondendo durante o dia nesta casa escura, percorrendo becos sombrios e corredores ainda mais escuros durante a noite. E eu consegui o que aqueles nobres rebelados não conseguiram. Trabalhando por meio deles, e por meio de outros agentes, muitos que jamais viram meu rosto, eu minei o império usando motins e agitação. Resumindo, eu, trabalhando nas sombras, pavimentei a ruína do rei que se senta no trono sob o sol. Por Mitra, eu era um estadista antes de me tornar um fora da lei.

— E são esses tolos que se consideram seus mestres?

— Eles continuarão achando que eu sirvo a eles, até a nossa atual tarefa ser cumprida. Quem são eles para desafiar a inteligência de Ascalante? Volmana, o conde anão de Karaban; Gromel, o comandante gigante da Legião Negra; Dion, o barão gordo de Attalus; Rinaldo, o menestrel com cérebro de lebre. Eu sou a força que fundiu em um bloco o aço de cada um deles e, por conta do barro em cada, eu os esmagarei quando chegar a hora certa. Todavia, isso reside no futuro. Esta noite, o rei morre.

— Dias atrás, eu vi os esquadrões imperiais deixarem a cidade cavalgando — disse o estígio. — Eles cavalgaram até a fronteira assolada pelos pictos pagãos, graças ao licor forte que eu contrabandeei pela fronteira para enlouquecê-los. A vasta riqueza de Dion tornou isso possível. E Volmana tornou possível dispor do restante das tropas imperiais que permaneceram na cidade. Graças ao seu parente principesco na Nemédia, foi fácil persuadir o rei Numa a solicitar a presença do conde Trocero de Poitain, senescal da Aquilônia, e, é claro, para honrá-lo, ele será acompanhado por uma escolta imperial, assim como pelas próprias tropas, e Prospero, o braço direito do rei Conan. Isso deixa apenas a guarda pessoal do rei na cidade... além da Legião Negra.

Com Gromel, eu corrompi um oficial esbanjador dessa guarda e o subornei para levar seus homens para longe das portas do rei à meia-noite. E então, com meus dezesseis criminosos desesperados, nós entraremos no palácio por um túnel secreto. Depois que tudo estiver terminado, mesmo que o povo não se levante para nos receber, a Legião Negra de Gromel será o suficiente para tomar a cidade e a coroa.

— E Dion acha que a coroa será dele?

— Acha. O tolo gordo alega que pertence a ele por causa de um traço de sangue real. Conan cometeu um erro grave ao permitir a vida de homens que ainda alegam descendência da antiga dinastia, da qual ele mesmo conquistou a coroa da Aquilônia.

"Volmana deseja ver reinstalado o seu benefício real, como era o caso no antigo regime, para que ele possa restabelecer à glória antiga suas propriedades empobrecidas. Gromel odeia Pallantides, comandante dos Dragões Negros, e deseja o comando de todo o exército, com toda a teimosia dos bossonianos. De todos nós, apenas Rinaldo não possui ambição pessoal. Ele enxerga em Conan um bárbaro ignorante, de mãos manchadas de sangue, que veio do norte para saquear as terras civilizadas. Ele idealiza o rei que Conan matou para conquistar a coroa, se lembrando apenas que às vezes ele patrocinava as artes e se esquecendo dos males do governo dele, e está fazendo as pessoas também se esquecerem. Elas já cantam abertamente 'O lamento pelo rei', em que Rinaldo louva o vilão e denuncia Conan como sendo 'aquele selvagem de coração negro que veio do abismo'. Conan ri, mas o povo rosna."

— Por que ele odeia Conan?

— Poetas sempre odeiam os que estão no poder. Para eles, a perfeição está sempre atrás da última curva, ou além da próxima. Eles escapam do presente em sonhos do passado e do futuro. Rinaldo é uma tocha flamejante do idealismo, se erguendo, como ele pensa, para derrubar um tirano e libertar a população. Quanto a mim... bem, alguns meses atrás, eu tinha perdido a ambição para fazer qualquer coisa que não fosse saquear caravanas pelo resto da vida. Agora, sonhos antigos despertam. Conan vai morrer, Dion subirá ao trono. E então ele também morrerá. Um a um, todos que se opõem a mim morrerão... seja pelo fogo, pelo aço, ou por aqueles vinhos tão letais que você sabe preparar tão bem. Ascalante, rei da Aquilônia! Acha que soa bem?

O estígio deu de ombros.

— Houve uma época — falou com evidente amargura —, em que eu também tinha as minhas ambições, que comparadas com as suas parecem espalhafatosas e infantis. A que ponto eu caí? Meus antigos pares e rivais ficariam abismados se pudessem ver Thoth-Amon do Anel servindo como escravo de um forasteiro e de um fora da lei. E ajudando nas ambições mesquinhas de outros barões e reis!

— Você depositou a sua confiança na magia e no subterfúgio — comentou Ascalante displicentemente. — Eu confio na minha inteligência e na minha espada.

— Inteligência e espadas são como palha diante da sabedoria das Trevas — rosnou o estígio. Seus olhos escuros reluziam com luzes e sombras ameaçadoras. — Se eu não tivesse perdido o Anel, nossas posições poderiam estar invertidas.

— No entanto — respondeu impacientemente o fora da lei —, você carrega as marcas do meu chicote nas suas costas, e provavelmente continuará a recebê-las.

— Não tenha tanta certeza! — Por um instante, o ódio diabólico do estígio brilhou intensamente no seu olhar. — Um dia, de algum modo, eu encontrarei novamente o Anel, e quando eu o encontrar, pelas presas de serpente de Set, você vai pagar...

O irritado aquiloniano se levantou e o socou violentamente na boca. Thoth recuou, com o sangue escorrendo pelos lábios.

— Está ficando insolente demais, cão — rosnou o fora da lei. — Tenha cuidado. Eu ainda sou seu mestre e conheço seu segredo sombrio. Vá para o telhado, lá em cima, e grite que Ascalante está na cidade tramando contra o rei... se você se atreve.

— Eu não me atrevo — murmurou o estígio, limpando o sangue dos lábios.

— Não, você não se atreve. — Ascalante sorriu friamente. — Pois, se eu morrer pela sua indiscrição ou pela sua traição, um sacerdote eremita no deserto ao sul ficará sabendo e romperá o lacre de um manuscrito que deixei nas mãos dele. E, após o ler, uma palavra será sussurrada na Estígia, e um vento subirá do sul à meia-noite. E onde você esconderá a cabeça, Thoth-Amon?

O escravo estremeceu, e seu rosto escuro empalideceu.

— Basta! — Ascalante mudou de tom peremptoriamente. — Tenho um trabalho para você. Não confio em Dion. Eu disse para ele ir para a propriedade rural dele e ficar por lá até o serviço desta noite estar terminado. Aquele tolo gordo jamais conseguirá disfarçar o nervosismo diante do rei hoje. Vá atrás dele, e, se não o alcançar na estrada, prossiga cavalgando até a propriedade dele, e fique lá com o homem até que eu mande buscá-los. Não o perca de vista. Ele está morrendo de medo, e pode fugir, pode até correr em pânico para Conan e revelar todo o plano, na esperança de salvar a própria pele. Vá!

O escravo se curvou, escondendo o ódio nos olhos, e fez o que foi mandado. Ascalante voltou para o vinho. E, sobre as torres reluzentes, estava se erguendo um amanhecer carmesim como o sangue.

II

Quando eu ainda combatia, para mim os tambores rufavam.
Espalhavam ouro em pó por onde meus cavalos passavam.
Mas agora que sou rei, por onde vou as pessoas me perseguem.
Atacam-me as costas com punhais e veneno na taça de vinho metem.

A estrada dos reis

O recinto era amplo e adornado, com detalhadas tapeçarias nas lustrosas paredes recobertas por painéis, tapetes grossos sobre o piso de mármore, e o grandioso teto era adornado com entalhes complexos e arabescos em prata. Por trás da mesa de marfim com detalhes em ouro estava sentado um homem cujos ombros largos e pele bronzeada pelo sol pareciam destoar do ambiente luxuoso. Ele parecia mais pertencer ao sol, ao vento e às montanhas de terras estrangeiras. Seu menor movimento acionava os músculos semelhantes a molas de aço, controlados por um cérebro aguçado com a coordenação de um homem nascido para o combate. Não havia nada de deliberado nem de contido em suas ações. Ou estava em perfeito repouso, como uma estátua de bronze, ou estava em movimento, não com a rapidez espasmódica de nervos excessivamente tensos, mas com a velocidade de um gato, capaz de turvar a visão de quem tentava acompanhar seus movimentos.

As roupas eram feitas com um tecido rico, mas de confecção simples. Não usava anéis nem ornamentos, e a cabeleira negra de corte reto estava confinada apenas por uma prateada faixa de pano ao redor da cabeça.

Ele deixou de lado o buril dourado com que estivera laboriosamente rabiscando em um papiro encerrado e descansou o queixo sobre o punho cerrado, fixando os intensos olhos azuis com inveja no homem postado diante de si. Tal sujeito, no momento, estava ocupado com os próprios afazeres, pois estava laceando as amarras de sua armadura de ouro enquanto assoviava distraído, uma atitude pouco convencional considerando que estava na presença de um rei.

— Prospero — disse o homem à mesa —, essas questões de estado me cansam tanto quanto todos os combates dos quais eu já participei.

— Faz tudo parte do jogo, Conan — respondeu o poitainiano de olhos escuros. — Você é o rei. Precisa cumprir o seu papel.

— Eu queria poder cavalgar com você até a Nemédia — comentou Conan invejosamente. — Parece que faz séculos desde a última vez em que senti um cavalo entre meus joelhos, mas Publius diz que as questões da cidade exigem a minha presença. Maldito seja!

"Quando eu derrubei a antiga dinastia — prosseguiu, falando com uma tranquila familiaridade que tinha apenas com o poitainiano —, foi bem fácil, embora tivesse parecido amargamente duro na ocasião. Lembrando agora o caminho selvagem que eu trilhei, todos aqueles dias de árduo trabalho, de intriga, de chacinas e de atribulações parecem mais um sonho.

"Eu não sonhei longe o suficiente, Prospero. Quando o rei Numedides estava morto aos meus pés e eu arranquei a coroa da cabeça ensanguentada dele, a colocando na minha própria cabeça, eu alcancei o limite extremo dos meus sonhos. Eu tinha me preparado para tomar a coroa, mas não para ficar com ela. Nos antigos dias de liberdade, tudo que eu queria era uma espada afiada e um caminho direto até os inimigos. Agora, não há caminhos diretos, e a minha espada não serve para nada.

"Quando destronei Numedides, eu era o Libertador. Agora, cospem na minha sombra. Eles puseram uma estátua daquele suíno no templo de Mitra, e as pessoas vão e choram diante dela, louvando-a como a efígie sagrada de um santificado monarca que encontrou a morte nas mãos sanguinárias de um bárbaro. Quando eu liderei os exércitos de Aquilônia à vitória como mercenário, ela ignorava o fato de eu ser um estrangeiro, porém agora ela não consegue me perdoar.

"Hoje, no templo de Mitra, homens queimam incenso em memória a Numedides, homens que os carrascos dele mutilaram e cegaram, homens cujos filhos morreram nas masmorras dele, cujas esposas e filhas foram arrastadas para o harém do rei. Os tolos indecisos!"

— Uma boa parte da culpa é de Rinaldo — respondeu Prospero, apertando o cinturão da espada. — As canções dele enlouquecem os homens. Pendure o homem naqueles trajes de bufão na torre mais alta da cidade. Ele que trate de compor as rimas para os abutres.

Conan sacudiu a cabeça leonina.

— Não, Prospero, ele está além do meu alcance. Um grande poeta é maior do que qualquer rei. Suas canções são mais poderosas do que o meu cetro, pois ele chegou quase a arrancar o coração do meu peito quando escolheu cantar para mim. Eu morrerei e serei esquecido, mas as canções de Rinaldo viverão para sempre.

"Não, Prospero — continuou o rei, uma expressão sombria de dúvida lhe escurecendo o olhar —, existe algo oculto, alguma tendência da qual não estamos a par. Pressinto isso da mesma maneira que na minha juventude eu pressentia o tigre escondido na grama alta. Existe uma inquietação inominável se espalhando pelo reino. Sou como um caçador que se agacha diante de uma pequena fogueira no meio da floresta, escuta patas sorrateiras andando na escuridão ao redor e quase enxerga o brilho de olhos chamejantes. Se ao menos eu conseguisse agarrar algo tangível, algo que eu pudesse transpassar com a minha espada! Estou dizendo, não é coincidência que recentemente os pictos vêm atacando tão ferozmente as fronteiras, fazendo com que o bossonianos solicitassem ajuda para expulsá-los. Eu deveria ter cavalgado com as tropas."

— Publius receava uma trama para aprisionar e matar você do outro lado da fronteira — retrucou Prospero, alisando a veste sobre a reluzente cota de malha e admirando a própria figura alta e esbelta no espelho. — Por isso que ele insistiu para que permanecesse na cidade. Tais dúvidas surgem dos seus instintos bárbaros. Deixe o povo rosnar! Os mercenários são nossos, e os Dragões Negros e todo fora da lei em Poitain está do seu lado. Seu único risco é de um assassinato, e isso é impossível com os homens das tropas imperiais o protegendo dia e noite. No que está trabalhando aí?

— Um mapa — respondeu Conan com orgulho. — Os mapas da corte mostram bem os países do sul, do leste e do oeste, mas, para o norte, são vagos e incompletos. Estou eu mesmo acrescentando as terras do norte. Aqui está a Ciméria, onde eu nasci. E...

— Asgard e Vanaheim. — Prospero passou os olhos pelo mapa. — Por Mitra, eu cheguei a acreditar que tais países não passassem de fábulas.

Conan sorriu com selvageria, involuntariamente levando a mão às cicatrizes no rosto bronzeado.

— Não pensaria assim se tivesse passado a juventude nas divisas ao norte da Ciméria! Asgard fica ao norte, e Vanaheim a noroeste da Ciméria, e há uma guerra perpétua ao longo das fronteiras.

— Que tipo de homens são esses dos povos do norte? — perguntou Prospero.

— Altos, de pele clara e olhos azuis. O deus deles é Ymir, o gigante de gelo, e cada tribo tem o próprio rei. São indóceis e ferozes. Brigam o dia todo, e bebem cerveja, e rugem suas canções selvagens a noite toda.

— Nesse caso, acho que você é como eles — zombou Prospero. — Você ri alto, bebe muito e urra boas canções, embora eu jamais tenha visto outro cimério que bebesse algo além de água, ou que risse, ou que sequer cantasse algo além de hinos fúnebres.

— Talvez seja a terra em que eles vivem — respondeu o rei. — Jamais houve uma terra mais sombria. Todas as colinas são recobertas por florestas escuras, sob céus quase sempre acinzentados, com ventos gemendo lugubremente pelos vales.

— Não é à toa que os homens de lá são taciturnos — concluiu Prospero, dando de ombros, se lembrando das planícies banhadas pelo sol e dos preguiçosos rios azuis de Poitain, a província mais ao sul da Aquilônia.

— Eles não têm esperança, nem agora e nem para o futuro — respondeu Conan. — Seus deuses são Crom e a raça cruel dele, cujo domínio é um lugar sem sol com névoas eternas, o mundo dos mortos. Mitra! Os costumes dos aesires são mais do meu agrado.

— Bem — comentou Prospero com um sorriso —, você deixou as colinas sombrias da Ciméria para trás. E eu me vou agora. Beberei uma taça de vinho branco nemediano em seu nome na corte de Numa.

— Ótimo — resmungou o rei. — Mas beije as dançarinas de Numa por si mesmo, para não envolver o governo!

Sua gargalhada tonitruante acompanhou Prospero para fora da câmera.

III

Sob as pirâmides cavernosas, o Grande Set dorme enroscado.
Em meio às sombras das tumbas, se esgueira seu povo assombrado.
Falo a Palavra dos abismos que jamais viram o sol se pôr.
Ó ser brilhante e escamado, me envie um servo para o meu rancor.

O sol estava se pondo, riscando o verde e o nebuloso azul da floresta com traços dourados. Os raios minguantes reluziam na grossa corrente dourada que Dion de Attalus retorcia continuamente na mão rechonchuda, enquanto sentava na abundância flamejante de botões e árvores floridas que era seu jardim. Ele moveu o corpo gordo sobre o assento de mármore e olhou furtivamente ao redor, como se em busca de um inimigo a espreita. Estava sentado no centro de um bosque circular de árvores esguias, cujos galhos entrelaçados projetavam sua sombra sobre ele. Perto de uma das mãos, gotas prateadas tilintavam de uma fonte, enquanto outras fontes invisíveis em várias partes do grande jardim sussurravam uma sinfonia eterna.

Dion estava sozinho, exceto pela grande figura parda que descansava em um banco de mármore próximo, observando o barão com olhos profundos e sombrios. Dion deu pouca atenção à presença de Thoth-Amon. Sabia, vagamente, que era um escravo em quem Ascalante depositava grande confiança. Contudo, como muitos homens ricos, Dion não dispensava muita atenção a homens abaixo de sua posição social.

— Não precisa ficar tão nervoso — disse Thoth. — O plano é infalível.

— Assim como qualquer outro homem, Ascalante pode cometer erros — retrucou Dion, suando ante a simples noção do fracasso.

— Não ele — discordou o estígio com um sorriso selvagem. — Caso contrário, eu não seria o escravo dele, mas, sim, o mestre.

— Do que está falando? — retornou Dion de modo irritadiço, mal prestando atenção na conversa.

Os olhos de Thoth-Amon se estreitaram. Apesar de todo o seu autocontrole, estava prestes a explodir de humilhação, de ódio e de raiva, pronto para correr qualquer tipo de risco desesperado. Não contava com o fato de que Dion não enxergava nele um ser humano com um cérebro e inteligência, mas, em vez disso, apenas um escravo, e, como tal, indigno de sua atenção.

— Escute o que digo — disse Thoth. — Você será rei. Mas pouco conhece da mente de Ascalante. Não poderá confiar nele depois que Conan estiver morto. Eu posso ajudá-lo. Se me proteger depois que subir ao poder, eu o ajudarei.

"Ouça bem, meu senhor. Eu fui um grande feiticeiro no sul. Homens falavam de Thoth-Amon como falavam de Rammon. O rei Ctesphon de Estígia me concedeu grande honra, rebaixando os grandes magos de seus altos postos para me exaltar acima deles. Eles me odiavam, contudo também me temiam, pois eu controlava seres sobrenaturais que atendiam o meu chamado e faziam a minha vontade. Por Set, meus inimigos não sabiam a hora em que poderiam acordar no meio da noite sentindo as garras de um horror inominável em suas gargantas! Eu realizava magia maligna e terrível com o Anel da Serpente de Set, que eu encontrei em uma tumba escura debaixo da terra, esquecida antes mesmo do primeiro homem rastejar para fora do mar viscoso.

"Mas um ladrão roubou o Anel, rompendo o meu poder. Os magos se ergueram para me matar, e eu fugi. Disfarçado de um condutor de camelos, eu estava viajando em uma caravana na terra de Koth quando os saqueadores de Ascalante nos atacaram.

Todos na caravana foram chacinados, exceto por mim. Salvei minha vida revelando minha identidade para Ascalante e jurando servi-lo. Amarga tem sido a minha escravidão!

"Para me manter cativo, ele escreveu a meu respeito em um manuscrito, que, após selado, foi entregue nas mãos de um eremita que reside na fronteira meridional de Koth. Não ouso golpeá-lo com um punhal enquanto ele dorme, nem traí-lo para os inimigos, porque, se o fizesse, o eremita abriria o manuscrito e o leria, como foi instruído por Ascalante. E depois espalharia a notícia por Estígia..."

Mais uma vez, Thoth estremeceu, e uma certa palidez manchou a pele escura.

— Os homens não me conheciam na Aquilônia — falou. — Contudo, se meus inimigos na Estígia souberem do meu paradeiro, nem o meio mundo que nos separa seria o suficiente para me salvar de tal desgraça, capaz de explodir a alma de uma estátua de bronze. Apenas um rei, com castelos e legiões de espadachins, seria capaz de me proteger. Sendo assim, eu lhe contei o meu segredo e peço que faça um pacto comigo. Posso ajudá-lo com a minha sabedoria, e você pode me proteger. E, um dia, eu encontrarei o Anel...

— Anel? Anel?

Thoth subestimara o egoísmo absoluto do homem. De tão completamente absorto que estava nos próprios pensamentos, Dion sequer estivera escutando as palavras do escravo. A última palavra, porém, provocou um ligeiro abalo em seu egocentrismo.

— Anel? — repetiu. — Isso me faz lembrar... o meu anel de boa sorte. Eu o consegui de um ladrão semita que jurou tê-lo roubado de um feiticeiro do sul distante, e que me traria sorte. Mitra sabe que eu paguei muito por ele. Pelos deuses, eu preciso de toda a sorte que puder conseguir, com Volmana e Ascalante me enfiando nesses planos sangrentos deles... Vou buscar o anel.

Thoth se levantou, o sangue subindo para o rosto, enquanto os olhos flamejavam com a fúria aturdida de um homem que subitamente se dava conta da total profundidade da estupidez suína de um tolo. Dion sequer lhe dera ouvidos. Erguendo uma tampa secreta no assento de mármore, remexeu por um instante no monte de objetos de diversos tipos. Amuletos bárbaros, pedaços de ossos, joias de mau gosto, talismãs e conjuras que a natureza supersticiosa do homem o levara a colecionar.

— Ah, aqui está!

Ele triunfantemente ergueu um anel de curiosa confecção. Era de um metal semelhante ao cobre e tinha o formato de uma serpente escamada, enroscada em três voltas, com a cauda na boca. Os olhos eram pedras amareladas que reluziam malignamente. Thoth-Amon gritou como se houvesse sido golpeado, e Dion se voltou, fitando com espanto o rosto subitamente desprovido de sangue do escravo. Os olhos dele estavam em chamas, a boca aberta, as enormes mãos escuras estendidas, como se fossem garras.

— O Anel! Por Set! O Anel! — gritava estridentemente. — Meu anel, roubado de mim.

Aço reluziu na mão do estígio, que, com um movimento dos grandes ombros escuros, mergulhou o punhal no corpo gordo do barão. O guincho estridente de Dion foi sufocado pelo próprio sangue que brotou na garganta, e todo o seu corpo flácido desmoronou no chão como manteiga derretida. Um tolo até o fim, o homem morreu tomado de pânico, sem saber bem por quê. Empurrando o cadáver para o lado, já se esquecendo dele, Thoth segurou o anel com ambas as mãos, os olhos escuros ardendo com temerosa avidez.

— Meu anel — sussurrou em terrível exultação. — Meu poder!

Quanto tempo passou curvado sobre a coisa maligna, imóvel como uma estátua, sua própria alma sombria sorvendo a aura maligna, nem mesmo o estígio saberia dizer. Quando conseguiu despertar do transe e trazer o próprio espírito de volta do abismo que ele estivera explorando, a lua já estava se erguendo no firmamento, lançando sombras compridas sobre o mármore liso do encosto de assento do jardim, aos pés do qual se estendia a sombra mais escura do que outrora fora o senhor de Attalus.

— Basta, Ascalante, basta! — sussurrou o estígio, seus olhos ardendo, vermelhos, como os de um vampiro na escuridão.

Curvando-se para frente, com as mãos em concha, colheu um pouco do sangue coagulado da piscina em que a vítima estava esparramada e o esfregou nos olhos da serpente de cobra até que as centelhas amareladas estivessem cobertas por uma máscara carmesim.

— Cegue os seus olhos, serpente mística — entoou aos sussurros. — Cegue os seus olhos para o luar e os abra para abismos mais escuros! O que você vê, ó serpente de Set? Quem você convoca dos abismos da Noite? De quem é a sombra que recaí sobre a Luz minguante? Chame-o para mim, ó serpente de Set!

Acariciando as escamas com um movimento peculiar dos dedos, um movimento que formava círculos e sempre levava os dedos de volta ao ponto de partida, sua voz ficou ainda mais baixa quando ele sussurrou nomes malignos e encantamentos sombrios há muito esquecidos pelo mundo, exceto nos campos escuros da sombria Estígia, onde formas monstruosas se moviam nas trevas dos túmulos.

Houve um movimento no ar ao redor dele, como um redemoinho que é feito na água quando alguma criatura sobe à superfície. Um inominável vento gelado soprou brevemente sobre ele, como se viesse de uma porta entreaberta. Thoth sentiu uma presença às suas costas, mas não olhou ao redor. Manteve o olhar fixo no espaço de mármore iluminado pela lua, sobre o qual pairava uma sombra pouco definida. Enquanto dava prosseguimento aos encantamentos sussurrados, a sombra cresceu em tamanho e clareza, até que se destacou, distinta e terrível. Seu contorno lembrava um gigantesco babuíno, mas nenhum babuíno como aquele já caminhou sobre a terra, nem mesmo na Estígia. Ainda assim, Thoth não olhou, porém, retirando do cinturão uma sandália pertencente ao mestre, a qual ele sempre carregava consigo na tênue esperança de que, um dia, tivesse a oportunidade de fazer bom uso dela, a jogou para trás de si.

— Preste atenção, escravo do Anel! — ele exclamou. — Encontre quem usou essa sandália e o destrua! Olhe nos olhos dele e lhe destrua a alma, depois lhe rasgue a garganta! Mate esse homem! — E em uma explosão de cega paixão, completou: — E todos que estiverem com ele!

Estampado na parede iluminada pela lua, Thoth viu o horror abaixar a cabeça disforme e pegar o rastro, como um perdigueiro monstruoso. Em seguida, a terrível cabeça foi jogada para trás, e a coisa girou nos calcanhares e desapareceu, como o vento passando pelas árvores. O estígio ergueu os braços, em enlouquecida exultação, os dentes e os olhos reluzindo sob o luar.

Um soldado de guarda do lado de fora berrou, horrorizado, quando uma enorme sombra escura com olhos chamejantes pulou o muro e passou por ele como um turbilhão de vento. Mas foi tão rápido que, depois, o guerreiro desnorteado ficou se perguntando se fora um sonho ou uma alucinação.

IV

> Quando o mundo era jovem e os homens tinham pavor,
> e os demônios da noite caminhavam sem pudor,
> com Set eu lutei, usando aço e seiva de árvores e calor.
> Agora que eu durmo no coração negro do monte, e as eras
> cobram seus totens.
> Vai esquecer aquele que lutou com a Serpente para salvar
> a alma dos homens?

Sozinho na grande câmara de dormir com aquela alta cúpula dourada, o rei Conan dormia e sonhava. Em meio a espirais de névoas acinzentadas, ele escutou um chamado curioso, tênue e distante, e, embora não conseguisse entender, não parecia ser capaz de ignorá-lo. De espada em mão, ele atravessou a névoa acinzentada, como um homem poderia caminhar pelas nuvens, e a voz foi ficando mais distinta à medida que ele avançava, até Conan conseguir entender a palavra sendo dita... era seu próprio nome sendo chamado através dos abismos do espaço ou do tempo.

A névoa estava ficando mais clara, e ele pôde perceber que se encontrava em um grande corredor que parecia ser entalhado em sólida pedra negra. Não estava iluminado. Contudo, graças a alguma magia, ele era capaz de enxergar normalmente. O piso, o teto e as paredes eram bem lustrados e reluziam de forma difusa. Neles estavam entalhadas figuras de heróis antigos e deuses quase esquecidos. Ele estremeceu ao ver os contornos sombrios dos Antigos Inomináveis, e, de algum modo, soube que pés mortais não haviam cruzado aquele corredor por séculos.

Ele se deparou com uma larga escadaria entalhada na pedra sólida, e as laterais estavam adornadas com símbolos esotéricos, tão antigos e terríveis que a pele do rei Conan se arrepiou. Os degraus foram esculpidos um a um com a figura abominável da Velha Serpente, Set, de modo que, com cada passo, ele plantava o calcanhar na cabeça dela, como em tempos imemoriais haviam planejado que acontecesse. Nem por isso ele se sentia à vontade com os passos.

Mas a voz insistia em chamá-lo, e, por fim, na escuridão que teria sido impenetrável para seus olhos materiais, ele adentrou uma estranha cripta e avistou uma vaga figura de barba branca sentada em uma tumba. Arrepiado, Conan empunhou a espada, mas a figura falou em tons sepulcrais:

— Ah, homem, você me conhece?

— Eu não, por Crom! — praguejou o rei.

— Homem — disse o ancião —, eu sou Epemitreus.

— Mas Epemitreus, o sábio, está morto há cento e cinquenta anos! — murmurou Conan, gaguejando.

— Escute bem! — falou o outro, em tom de comando. — Como uma pedra projetada em um lago escuro espalha ondulações até as margens mais distantes, acontecimentos no Mundo Invisível quebram como ondas no meu repouso. Eu o marquei bem, Conan da Ciméria, e o selo de acontecimentos poderosos e grandes feitos o ronda. Contudo, a perdição está a solta na terra, e sua espada não poderá ajudá-lo.

—Você fala em enigmas — disse Conan, inquieto. — Deixe-me ver o meu adversário, e eu racharei o crânio dele até os dentes.

— Liberte sua fúria bárbara contra seus inimigos de carne e osso — respondeu o ancião. — Não é contra homens que preciso protegê-lo. Existem mundos sombrios sequer imaginados pelos homens, onde monstros disformes espreitam, demônios que podem ser invocados de dimensões distantes para tomar forma no mundo material e estraçalhar e devorar ao comando de magos do mal. Tem uma serpente na sua casa, ó rei... uma víbora no seu reino, vindo da Estígia, com a sabedoria maligna das sombras na sua alma obscura. Como um homem adormecido sonha com a serpente que rasteja perto dele, eu senti a presença pútrida do neófito de Set. Ele está embriagado com terríveis poderes, e o ataque que fará ao inimigo poderá derrubar o reino. Eu chamei você até mim para lhe dar uma arma contra ele e contra a matilha de cães do inferno que ele lidera.

— Mas por quê? — indagou Conan, atônito. — Os homens dizem que você dorme no coração negro de Golamira, de onde você envia o seu fantasma em asas invisíveis para ajudar a Aquilônia em tempos de necessidade, mas, eu... eu sou um forasteiro e um bárbaro.

— Paz! — Os tons fantasmagóricos reverberaram pela enorme caverna escura. — Seu destino e o de Aquilônia são um só. Acontecimentos monumentais estão se formando na teia e no ventre da Fatalidade, e um enlouquecido feiticeiro sedento de sangue não pode se colocar no caminho do destino imperial. Eras atrás, Set envolvia o mundo como uma serpente ao redor da sua presa. Durante toda a minha vida, que se equiparou às vidas de três homens normais, eu lutei contra ele. Eu o expulsei para as sombras do misterioso sul. Porém, no escuro, homens da Estígia ainda adoram aquele que, para nós, é o arquidemônio. Como eu lutei contra Set, eu luto contra os adoradores dele, e seus devotos, e seus acólitos. Empunhe a sua espada.

Intrigado, Conan obedeceu, e, na enorme lâmina, próximo ao pesado guarda-mão prateado, o ancião traçou com o dedo esquelético um estranho símbolo que brilhou como fogo branco nas sombras. E naquele instante a cripta, a tumba e o ancião desapareceram, e Conan, atônito, se levantou com um salto do leito na câmara com a enorme abóboda dourada. Ficou ali, confuso ante a estranheza do sonho, e ele se deu conta de que segurava na mão a espada. E seus cabelos se arrepiaram na nuca, pois na lâmina larga estava entalhado um símbolo... o contorno de uma fênix. E ele se lembrou que, na tumba na cripta, ele vira o que pensava ser uma figura semelhante, entalhada na pedra.

Perguntou-se se não teria sido uma estátua de pedra e se sentiu arrepiar ante toda aquela estranheza.

Em seguida, enquanto ainda estava parado, um som furtivo vindo do corredor lá fora o trouxe de volta à vida, e, sem se deter para investigar, ele começou a vestir a armadura. Mais uma vez, era o bárbaro desconfiado, alerta como um lobo cinzento pronto para atacar.

V

O que eu sei do esplendor, do artifício, da mentira e das palavras?
Eu, que nasci e fui criado sob o céu aberto, numa terra sem lei.
A língua sutil, a astúcia sofista, elas falham quando cantam as espadas.
Corram e morram, cachorros... eu era homem antes de ser rei.

A estrada dos reis

Em meio ao silêncio que envolvia o corredor do palácio real, vinte vultos se escondiam. Seus pés furtivos, descalços ou envoltos em couro macio não faziam ruído, fosse nos grossos tapetes ou no piso de mármore. As tochas nos nichos ao longo dos corredores lançavam seu brilho avermelhado sobre punhais, espadas e machados afiados.

— Fiquem todos calmos! — sibilou Ascalante. — Seja lá quem for, contenha a respiração alta! O oficial da guarda noturna removeu a maior parte das sentinelas desses corredores e embebedou o resto, mas, mesmo assim, precisamos ter cuidado. Para trás! Lá vem a guarda!

Estavam amontoados atrás de um conjunto de pilares entalhados, e quase imediatamente dez gigantes em armadura preta passaram marchando. Seus rostos mostravam dúvida ao olharem para o oficial que os estava conduzindo para longe do posto de serviço. Tal oficial estava um tanto quanto pálido. Quando a guarda passou pelo esconderijo dos conspiradores, viram-no enxugando o suor da testa com a mão tremula. Era jovem, e essa traição ao rei não estava sendo fácil para ele. Em seus pensamentos, amaldiçoou a extravagância vaidosa que o colocara em dívida com agiotas e fez dele um peão em intrigas políticas.

Os guardas desapareceram ruidosamente no final do corredor.

— Ótimo! — Ascalante sorriu. — Conan dorme desprotegido. Rápido! Se formos flagrados matando o maldito, estaremos perdidos... porém, poucos homens defenderão a causa de um rei morto.

— Sim, rápido! — concordou Rinaldo, seus olhos azuis refletindo o brilho da espada que ele agitava acima da cabeça. — Minha lâmina está sedenta! Escuto os abutres se reunindo! Avante!

Eles desceram o corredor com velocidade inconsequente, se detendo diante de uma porta dourada que exibia o símbolo do dragão real da Aquilônia.

— Gromel! — rosnou Ascalante. — Derrube essa porta para mim!

O gigante inspirou fundo e arremessou o corpanzil poderoso de encontro à porta, que gemeu e estremeceu sob o impacto. Mais uma vez, ele se agachou e avançou. Com o estrondo de ferrolhos e madeira quebrando, a porta se despedaçou, explodindo para dentro da câmara.

— Para dentro! — rugiu Ascalante com entusiasmo.

— Para dentro! — berrou Rinaldo. — Morte ao tirano!

De repente, detiveram o avanço. Conan os encarava, não um homem nu, confuso e desarmado, recém-despertado para ser abatido como uma ovelha, mas um bárbaro plenamente acordado e aguardando, com a armadura parcialmente vestida e a espada comprida na mão.

— Adiante, canalhas! — urrou o fora da lei. — É apenas um contra vinte, e ele nem está usando o capacete!

Verdade. Não houvera tempo para colocar o pesado elmo emplumado, nem para encaixar no lugar as ombreiras da armadura. Também não tivera tempo para arrancar o grande escudo da parede. Ainda assim, Conan estava melhor protegido do que quase todos os adversários. As exceções eram Volmana e Gromel, que trajavam armadura completa.

O rei os fitou intrigado, tentando identificá-los. Ascalante, ele não conhecia, e tampouco era capaz de enxergar através dos visores fechados das armaduras dos conspiradores. Rinaldo havia puxado o capuz de modo a esconder os olhos. Mas não havia tempo para conjecturas. Com um berro que ressoou até o teto abobadado, os assassinos invadiram o aposento. Primeiro foi Gromel. Ele avançou como um touro enraivecido, com a cabeça inclinada e a espada abaixada para uma investida estripadora. Conan saltou ao encontro dele, e toda a sua força tigrina se concentrou no braço que girou a espada. Em um arco assobiante a grande lâmina cortou o ar e se chocou com o capacete do bossoniano. Lâmina e elmo estremeceram como um, e Gromel caiu sem vida no chão. Conan deu um salto para trás, ainda segurando o punho quebrado da espada.

— Gromel! — sussurrou, com a surpresa estampada no olhar, quando o capacete destroçado revelou a cabeça igualmente destroçada.

E então o resto do grupo avançou sobre ele. A ponta de um punhal deslizou ao longo de suas costelas entre o peitoral e a proteção das costas da armadura. Uma espada passou reluzindo diante de seus olhos. Com o braço esquerdo, ele jogou o atacante do punhal longe e golpeou a têmpora do espadachim com o punho quebrado da própria espada. A massa cerebral do homem espirrou em seu rosto.

— Cinco de vocês vigiem a porta! — ordenou Ascalante, dançando de um lado para o outro ao redor do redemoinho de aço assobiante, pois receava que Conan pudesse forçar a passagem por entre os atacantes e escapar. Os patifes recuaram momentaneamente, mas o líder pegou vários deles e os empurrou na direção da única porta, e, aproveitando a breve folga, Conan saltou para a parede, de onde arrancou um antigo machado de guerra, que, intocado pelo tempo, ficara pendendo ali por meio século.

Com as costas para a parede, por um breve instante ele encarou o semicírculo que se fechava ao seu redor, depois se atirou no meio deles. Conan jamais fora um combatente defensivo. Mesmo diante de esmagadora oposição, ele sempre levara a batalha até o inimigo. Qualquer outro homem já teria morrido ali, e o próprio Conan não tinha muitas esperanças de sobreviver, mas ele ferozmente desejava infligir o máximo de dano possível antes de tombar. Sua alma bárbara estava em chamas, e os cânticos dos antigos heróis ecoavam em seus ouvidos.

Quando saltou da parede, seu machado de guerra derrubou um dos bandidos com uma pancada no ombro, e Conan desferiu um terrível contragolpe, esmagando o crânio de outro. Espadas zuniam venenosamente ao redor dele, mas a morte passava apenas raspando. O cimério se movia em um borrão de velocidade ofuscante. Era como um tigre cercado por babuínos que saltavam, se esquivavam e giravam, oferecendo sempre um alvo em movimento, enquanto o machado tecia uma reluzente roda de morte ao seu redor.

Por um breve espaço de tempo, os assassinos se aglomeraram ferozmente ao redor dele, socos chovendo cegamente por todos os lados, sua própria vantagem numérica trabalhando contra eles. Em seguida, de repente, recuaram. Dois corpos no chão eram evidências silenciosas da fúria do rei, embora o próprio Conan estivesse sangrando de feridas no braço, no pescoço e nas pernas.

— Patifes! — gritou Rinaldo, arrancando o capuz com uma expressão selvagem no olhar. — Vocês fogem do combate? Deixarão o déspota viver? Vamos lá!

Ele avançou correndo, golpeando descontroladamente, mas Conan, o reconhecendo, estilhaçou a espada do homem com um breve golpe e, com um poderoso empurrão da mão aberta, o arremessou para longe, deslizando pelo chão. O rei levou uma estocada de Ascalante no braço esquerdo, e o fora da lei mal conseguiu salvar a própria vida ao se esquivar com um salto para trás do giro do machado. Mais uma vez, os lobos atacaram, e o machado de Conan cantou e esmagou. Um atacante mais cabeludo se agachou por baixo do giro do machado e mergulhou em direção às pernas do rei. Contudo, após alguns instantes lutando com o que parecia ser uma sólida torre de ferro, ele olhou para cima a tempo de ver o machado descendo, mas não a tempo de evitá-lo. Nesse interim, um de seus camaradas ergueu a espada larga com ambas as mãos e deu um golpe que atravessou a armadura do rei, ferindo o ombro esquerdo abaixo dela. Em questão de instantes, a couraça de Conan estava cheia de sangue.

Tomado por uma impaciência selvagem, Volmana forçou a passagem entre os atacantes e avançou golpeando sanguinariamente na direção da cabeça desprotegida de Conan. O rei se agachou e a espada cortou uma mecha daqueles cabelos negros ao assoviar acima dele. Conan girou nos calcanhares e golpeou pela lateral. O machado destroçou a couraça de aço, e Volmana tombou com uma gigantesca ferida do lado esquerdo do corpo.

— Volmana — sussurrou Conan ofegantemente. — Eu verei aquele anão no inferno!

Empertigando-se, ele enfrentou o avanço enlouquecido de Rinaldo, que atacou armado apenas com um punhal. Conan deu um pulo para trás, erguendo o machado.

— Rinaldo! — Sua voz estava estridente com urgência desesperada. — Para trás! Eu prefiro não matá-lo...

— Morra, tirano! — gritou o furioso menestrel, se atirando na direção do rei.

Conan demorou a desferir o golpe que não queria dar até ser tarde demais. Só quando sentiu a ferroada do aço na lateral desprotegida que golpeou em um frenesi de desespero cego.

Rinaldo tombou com o crânio destroçado, e Conan recuou até a parede, o sangue escorrendo por entre os dedos que apertavam a ferida.

— Avancem agora e o matem! — berrou Ascalante.

Conan colou as costas na parede e ergueu o machado. Era a própria imagem do primitivo inconquistável... as pernas afastadas, a cabeça inclinada para a frente, uma das mãos buscando apoio na parede, a outra levantando o machado no ar, com enormes músculos retesados com a força do próprio aço, e as feições paralisadas em um letal rosnado de fúria, os olhos ardendo terrivelmente através da névoa de sangue que os cobria. Os homens hesitaram. Apesar de selvagens, criminosos e imorais, faziam parte de uma raça de homens chamados civilizados. Ali estava um bárbaro, um matador nato. Eles recuaram. Um tigre moribundo ainda era capaz de matar.

Conan pressentiu a incerteza deles e sorriu ferozmente, sem qualquer traço de humor.

— Quem morre primeiro? — murmurou por entre os lábios ensanguentados.

Ascalante saltou como um lobo, parando quase no meio do ar com incrível rapidez, e caiu prostrado para evitar a morte que vinha sibilando em sua direção. Freneticamente, girou os pés para fora do caminho e rolou para longe, desviando do ataque

que Conan desferiu quando se recobrou do golpe perdido. Desta vez, o machado afundou vários centímetros no piso lustroso, próximo às pernas de Ascalante que giravam.

Outro malfeitor desesperado escolheu aquele instante para atacar, seguido com pouco entusiasmo pelos companheiros. Ele pretendia matar Conan antes que o cimério pudesse arrancar o machado do chão, mas errou no cálculo. O machado ensanguentado se levantou e desceu, e uma caricatura carmesim de um homem foi catapultado de encontro às pernas dos atacantes.

Naquele instante, um grito de medo veio dos traidores postados na porta, onde uma disforme sombra negra se estendia pela parede. Todos com a exceção de Ascalante se voltaram ao ouvir o grito e, depois, uivando como cães, irromperam na direção da porta como uma multidão delirante, blasfemando e se espalhando pelo corredor em fuga desenfreada.

Ascalante não olhou na direção da porta. Tinha olhos apenas para o rei ferido. Supôs que o barulho da batalha enfim despertara o palácio, e que os guardas leais estavam chegando, embora, mesmo naquele momento, lhe parecesse estranho que seus cruéis sicários gritassem tão terrivelmente ao fugir. Conan não olhou para a porta, porque estava fitando o fora da lei com o olhar chamejante de um lobo moribundo. Mesmo naquela situação extrema, a filosofia cínica de Ascalante não o desertou.

— Tudo parece perdido, em especial a honra — murmurou. — Contudo, o rei está morrendo de pé... e...

Fosse qual fosse qualquer outra cogitação que pudesse ter passado pela cabeça dele, jamais seria conhecida, pois, deixando a frase incompleta, ele correu na direção de Conan, justamente quando o cimério foi forçado a usar o braço que segurava o machado para limpar o sangue que escorria para seus olhos, o cegando.

Todavia, quando Ascalante começou o ataque, houve um estranho movimento no ar, e ele sentiu um terrível golpe entre os ombros. Ele foi precipitado para frente, e enormes garras se fincaram agonizantemente em sua carne. Contorcendo-se desesperadamente debaixo do agressor, virou a cabeça e olhou para o rosto do pesadelo e da loucura. Acima dele estava agachada uma enorme coisa negra que o homem sabia que não podia ter nascido de nenhum mundo são e humano. As presas negras estavam próximas da garganta dele, e o brilho dos olhos amarelos miravam os membros de Ascalante.

A hediondez daquele rosto transcendia a mera bestialidade. Poderia ter sido o rosto de uma antiga múmia maligna, energizada com vida demoníaca. Naquelas feições abomináveis os olhos dilatados do fora da lei pareciam enxergar, como uma sombra na loucura que o envolvia, uma tênue e terrível semelhança ao escravo, Thoth-Amon. Então, a filosofia cética e autossuficiente de Ascalante o abandonou, e, com um grito terrível, ele morreu, antes mesmo que as salivantes presas o tocassem.

Conan, limpando as gotas de sangue dos olhos, fitou aquela cena petrificado. A princípio, pensou que a criatura sobre o corpo retorcido de Ascalante era um enorme cão negro. Em seguida, à medida que sua visão foi clareando, viu que não era nem um cão e nem um babuíno.

Com um urro que foi como um eco do grito de morte de Ascalante, o rei cambaleou para longe da parede e enfrentou a terrível criatura, que havia saltado em sua direção, com um arremesso do machado que levava consigo todo o poder desesperado dos nervos eletrificados de Conan. A arma voadora resvalou no crânio que deveria ter esmagado, e o rei foi jogado do outro lado da câmara pelo impacto do corpo gigantesco.

As mandíbulas salivantes se fecharam ao redor do braço que Conan ergueu para proteger a própria garganta, mas o monstro não fez qualquer esforço para garantir um golpe mortal. Por cima do braço lacerado, fitou diabolicamente os olhos do rei, nos quais começava a se refletir uma semelhança ao horror que estava nos olhos mortos de Ascalante. Conan sentiu a alma estremecer e começar a ser arrancada de seu corpo, para se afogar nos poços amarelados de horror cósmico que reluzia de maneira espectral no caos disforme que estava crescendo ao seu redor, devorando toda a vida e toda a sanidade. Aqueles olhos cresceram e se tornaram gigantescos, e neles o cimério vislumbrou a realidade de todos os horrores abismais e profanos que espreitam na escuridão exterior dos abismos sombrios e disformes. Ele entreabriu os lábios ensanguentados para esbravejar a raiva e o desprezo que sentia, mas apenas um chocalhar seco escapuliu de sua garganta.

Mas o horror que paralisou e destruiu Ascalante despertou no cimério uma fúria frenética, semelhante à loucura. Como se uma explosão vulcânica percorresse todo o seu corpo, ele se jogou para trás, ignorando a agonia do braço dilacerado, arrastando o corpo do monstro consigo. E sua mão estendida atingiu algo que seu aturdido cérebro de guerreiro reconheceu como sendo o punho da espada quebrada. Instintivamente, ele a agarrou e golpeou com toda a força de seus nervos e músculos, como um homem apunhalando com uma adaga. A lâmina partida se fincou profundamente na criatura, e o braço de Conan foi libertado quando a boca abominável se escancarou de agonia. O rei foi arremessado violentamente para o lado e, se erguendo sobre uma das mãos, viu, assombrado, as terríveis convulsões do monstro, do qual jorrava sangue espesso da grande ferida aberta pela lâmina quebrada. E, enquanto ele observava, a criatura parou de se debater e, por um instante, ficou espasmodicamente estrebuchando, fitando o infinito com terríveis olhos mortos. Piscando, Conan limpou o sangue que lhe ofuscava a visão. Teve a impressão de que a coisa estava derretendo e se desintegrando até se transformar em uma massa gosmenta instável.

Então, uma confusão de vozes lhe alcançou os ouvidos, e a câmara foi invadida pelos enfim despertos membros da corte... cavaleiros, nobres, damas, soldados, conselheiros... todos tagarelando e gritando e se colocando um no caminho do outro.

Os Dragões Negros se adiantaram, praguejando furiosos por entre os dentes, enquanto levavam as mãos aos punhos das espadas. Mas nenhum sinal foi visto do jovem oficial responsável por guardar a porta, e ele tampouco foi encontrado mais tarde, apesar de uma busca intensa.

— A guarda está aqui, velho tolo! — vociferou arrogantemente Pallantides, o comandante dos Dragões Negros, esquecendo na tensão do momento a patente de Publius. — Melhor dar fim aos seus guinchos e nos ajudar a cuidar dos ferimentos do rei. Pode ser que ele sangre até a morte.

— Sim, sim! — concordou Publius, que era um homem de planos em vez de ação. — Precisamos cuidar dos ferimentos dele. Tragam para cá todas as sanguessugas do reino! Ah, meu senhor, mas que vergonha para a cidade! Está muito machucado?

— Vinho — ofegou o rei do sofá onde o haviam deitado.

Eles levaram uma taça aos lábios ensanguentados, e ele bebeu como um homem morrendo de sede.

— Bom! — grunhiu, deixando a cabeça cair para trás. — Matar é um trabalho maldito que me deixa com a garganta seca.

Eles haviam estancado o fluxo do sangue, e a vitalidade natural do bárbaro estava voltando a se impor.

— Primeiro cuidem do ferimento do punhal no meu lado — ordenou para os médicos da corte. — Rinaldo me compôs uma canção mortal ali, e seu buril estava afiado.

— Há muito já deveríamos o ter enforcado — resmungou Publius. — Poetas não servem para nada de bom. Quem é este?

Nervosamente, encostou o pé no corpo de Ascalante.

— Por Mitra! — exclamou o comandante. — É Ascalante, outrora conde de Thune! Que diabos o trouxe aqui dos territórios no deserto que costumava habitar?

— Mas por que essa expressão no olhar dele? — sussurrou Publius, desviando o próprio olhar arregalado, enquanto um calafrio lhe percorria a nuca gorda.

Os outros ficaram em silêncio ao fitarem o fora da lei morto.

— Se tivesse visto o que ele e eu vimos, não faria essa pergunta — rosnou o rei, se sentando, apesar dos protestos dos médicos. — Seus próprios olhos podem explodir ao olhar...

Ele se interrompeu boquiaberto, seu dedo apontando inutilmente para o vazio. Onde o monstro morrera, seus olhos encontraram apenas o chão vazio.

— Crom! — exclamou ele. — A coisa derreteu, retornando para a podridão de onde veio.

— O rei está delirando — sussurrou um nobre.

Escutando, Conan asseverou com juramentos bárbaros.

— Por Badb, Morrigan, Macha e Nemain! — concluiu, furioso. — Eu estou são! Era como um cruzamento entre uma múmia estígia e um babuíno. A criatura entrou pela porta, e os patifes de Ascalante fugiram quando a viram. Ela matou Ascalante, que estava prestes a me transpassar com a espada. Depois, veio para cima de mim, e eu a matei... como, não sei, pois meu machado resvalou nela como se tivesse caído do cavalete. Mas acho que o sábio Epemitreus teve algo a ver com isso...

— Ouçam como ele fala de Epemitreus, morto há cento e cinquenta anos! — sussurraram os homens um para o outro.

— Por Ymir! — trovejou o rei. — Esta noite, eu falei com Epemitreus! Ele veio até mim em sonhos, e eu caminhei por um corredor de pedra negra, entalhado com deuses antigos, e subi uma escadaria de pedra, nos degraus da qual estavam os contornos de Set. chegar a uma cripta, e uma tumba com uma fênix entalhada nela...

— Em nome de Mitra, lorde rei, fique em silêncio!

Foi o sumo-sacerdote de Mitra quem gritou, e seu semblante estava pálido.

Conan ergueu a cabeça como um leão jogando a juba para trás, e sua voz saiu rouca, como o rugido do leão zangado.

— Por acaso sou um escravo, para me calar ante o seu comando?

— Não, não, meu senhor! — O sumo-sacerdote estava tremendo, mas não por medo da fúria real. — Não foi minha intenção ofender. — Ele curvou a cabeça para o rei e continuou em um sussurro apenas para os ouvidos de Conan: — Meu senhor, essa é uma questão além da compreensão humana. Apenas o círculo interno do sacerdócio sabe a respeito do corredor de pedra negra entalhado por mãos desconhecidas no coração maligno do monte Golmira, ou da tumba guardada pela fênix onde Epemitreus foi enterrado cento e cinquenta anos atrás. E, desde aquela época, nenhum homem vivo a adentrou, exceto os sacerdotes escolhidos, que, após depositar o sábio na cripta, bloquearam a entrada externa do corredor para que nenhum homem a conseguisse encontrar. Hoje nem mesmo o sumo-sacerdote sabe onde fica. Apenas com a informação sendo passada de boca em boca, dos sumo-sacerdotes para uns poucos escolhidos, e zelosamente guardada, é que o círculo interno dos acólitos de Mitra sabe o local de descanso de Epemitreus no coração maligno de Golamira. É um dos mistérios que o culto de Mitra guarda.

— Não sei dizer por que magia Epemitreus me levou até ele — respondeu Conan. Mas eu falei com ele, e ele deixou uma marca na minha espada. Por que a marca deixou a minha arma letal contra demônios, ou que magia reside na marca, eu não saberia dizer. Porém, apesar de a espada ter se partido no elmo de Gromel, o fragmento que restou foi comprido o suficiente para matar o terror.

— Me deixe ver a espada — pediu o sacerdote com um sussurro, sua garganta subitamente seca.

Conan estendeu a arma quebrada, e, com uma exclamação, o sumo-sacerdote caiu de joelhos no chão.

— Mitra nos preserve contra as forças da escuridão! — ofegou. — O rei, de fato, falou com Epemitreus esta noite! Ali, na espada, está o símbolo sagrado que ninguém além dele poderia ter feito, o emblema da fênix imortal que paira pela eternidade acima da sua tumba! Uma vela, rápido! Olhem novamente para o local onde o rei falou que o demônio morreu!

Estava na sombra de um dos painéis quebrados. Eles afastaram o painel e iluminaram o chão com a luz das velas. E um silêncio estremecedor tomou conta das pessoas à medida que elas olharam. Em seguida, alguns ficaram de joelhos invocando Mitra, e outros saíram correndo da câmara.

Ali no chão, onde o monstro morreu, estava, como uma sombra tangível, uma mancha escura e larga que jamais poderia ser lavada. A criatura deixara seu contorno claramente gravado com o próprio sangue, e aquele contorno não pertencia a qualquer ser do mundo normal e são. Sombria e terrível, a marca estava ali, como a sombra lançada por um dos deuses simiescos que se agachavam nos altares de templos escuros na terra sombria de Estígia.

Publicada pela primeira vez em janeiro de 1933 na *Weird Tales*, "A cidadela escarlate" pertence ao Período Inicial das histórias de Conan. Apesar desse conto ter sido lançado logo depois de "A fênix na espada", um outro conto de Conan, porém, intitulado "A torre do elefante" já havia sido escrito, mas só seria publicado posteriormente. No conto "A cidadela escarlate", Conan, ainda reinando a Aquilônia, é emboscado por dois reis vizinhos que planejam destituí-lo de seu trono. Conan encontrará terríveis experimentos de bruxaria e lutará por sua liberdade e para retomar sua coroa.

A CIDADELA ESCARLATE

I

NA PLANÍCIE DE SHAMU ELES ENCURRALARAM O LEÃO,
PRENDERAM-LHE OS MEMBROS COM UMA CORRENTE DE LATÃO,
GRITARAM MAIS ALTO DO QUE O TOQUE DA TROMBETA,
A TODOS DECLARARAM, "ENFIM ENJAULAMOS A BESTA."
QUE AS CIDADES DO RIO E DA PLANÍCIE TENHAM TENTO,
SE UM DIA O LEÃO ESCAPAR DO CONFINAMENTO!

Antiga balada

O rugido da batalha já morrera, e os berros de vitória se misturavam aos gritos dos moribundos. Como folhas de diversas cores após uma tempestade de outono, os homens caídos se espalhavam pela planície, o sol poente reluzindo nos elmos polidos, nas cotas de malha douradas, nas couraças prateadas, nas espadas quebradas e nas pesadas dobras régias dos estandartes de seda, que jaziam em poças de cor carmesim. Em silenciosas pilhas amontoavam-se cavalos de guerra e seus cavaleiros trajando aço, as crinas dos animais esvoaçando e o vento soprando as plumas manchadas de vermelho. Sobre eles e entre eles, como a deriva em uma tempestade, havia corpos dilacerados e pisoteados, usando elmos de aço e capas de couro, arqueiros e lanceiros.

Os olifantes soaram uma fanfarra de triunfo por toda a planície, e os cascos dos vencedores esmagaram os peitorais dos vencidos, enquanto todas as reluzentes linhas separadas convergiam para dentro, como os raios de uma brilhante roda, até o ponto onde o último sobrevivente ainda travava uma luta desigual.

Naquele dia, Conan, rei da Aquilônia, vira a nata de sua cavalaria ser despedaçada, esmagada, moída e varrida para a eternidade. Com cinco mil cavaleiros, ele cruzara a fronteira sudeste da Aquilônia, cavalgando para as pradarias gramadas de Ophir, para encontrar o rei Amalrus de Ophir, outrora aliado, que o enfrentara com os exércitos de Strabonus, o rei de Koth. Só vira a armadilha tarde demais. Fez tudo que um homem poderia ter feito com seus cinco mil cavaleiros contra os trinta mil cavaleiros, arqueiros e lanceiros dos conspiradores.

Sem arqueiros nem infantaria, ele havia enviado os cavaleiros armados contra as legiões que se aproximavam, vira os cavaleiros dos inimigos em suas reluzentes cotas de malha serem abatidos pelas lanças dele, fizera em pedaços o centro do adversário, dirigindo as fileiras divididas à sua frente, apenas para perceber que fora pego em uma prensa, quando alas intocadas vieram se aproximando. Os arqueiros semitas de Strabonus causaram grande estrago entre os cavaleiros de Conan, os crivando com flechas que conseguiram encontrar cada brecha nas armaduras; abatendo os cavalos, os lanceiros kothianos correram para alancear os cavaleiros caídos. Os lanceiros do centro desfeito se reagruparam, auxiliados pelos reforços dos cavaleiros das novas alas, voltando a atacar, de novo e de novo, varrendo o campo apenas devido à maioria esmagadora de seus números.

Os aquilonianos não fugiram; eles morreram no campo de batalha, e dos cinco mil cavaleiros que haviam seguido Conan rumo ao sul, nenhum deles saiu vivo de lá. E naquele momento o próprio rei resistia entre os corpos dilacerados de suas tropas, com as costas voltadas para uma pilha de cavalos e homens mortos. Cavaleiros ophirianos em cotas de malhas douradas saltavam com os cavalos por cima de montes de corpos para golpear a figura solitária, enquanto semitas de barbas negras e kothianos de rostos escuros o cercavam a pé. O clangor de aço escoava de maneira ensurdecedora à medida que a figura de cota de malha negra que era o rei ocidental abatia o enxame de inimigos que se aproximava, desferindo golpes como um açougueiro empunhando um enorme cutelo. Cavalos sem cavaleiros corriam a esmo pelo campo de batalha, e ao redor dos pés de Conan crescia um anel de corpos mutilados. Ofegantes e lívidos, seus atacantes recuavam diante da selvageria desesperada do homem.

Então, através das fileiras que berravam e praguejavam, cavalgaram os senhores dos conquistadores: Strabonus, com seu largo rosto escuro e olhos astuciosos; Amalrus, esbelto, obstinado, traiçoeiro, perigoso como uma cobra; e o abutre magro Tsotha-lanti, usando apenas roupões de seda, seus grandes olhos negros reluzindo em um rosto que era como o de uma ave de rapina. Histórias sombrias eram contadas sobre o feiticeiro kothiano, mulheres de cabelos desgrenhados em aldeias do norte e do sul assustavam seus filhos com o nome dele, e escravos rebeldes eram trazidos à degradante submissão muito mais rápido do que pelo chicote, apenas com a ameaça de ser vendidos para ele. Homens diziam que Tsotha-lanti tinha uma biblioteca inteira de obras malignas encadernadas em pele esfolada de vítimas humanas vivas, e que, nas catacumbas inomináveis sob a colina onde fica seu palácio, ele negociava com as forças da escuridão, trocando jovens escravas apavoradas por segredos profanos. Ele era o verdadeiro soberano de Koth.

Naquele momento, enquanto os reis detinham seus cavalos a uma distância segura da terrível figura em armadura de ferro postada entre os mortos, o feiticeiro sorria friamente. Diante dos selvagens olhos azuis de Conan, que ardiam sanguinariamente por debaixo do emplumado capacete amassado, os mais corajosos estremeciam. A cólera deixara o marcado rosto escuro dele ainda mais sombrio. Sua armadura negra estava em frangalhos e toda manchada de sangue, e a enorme espada, pintada em vermelho até o punho. Na tensão, todo e qualquer verniz civilizatório desaparecera. Era o bárbaro que enfrentava seus conquistadores. Conan nascera um cimério, um daqueles selvagens homens das montanhas, que habitavam a terra sombria e enevoada ao norte. Sua saga, que o levara ao trono da Aquilônia, era a base de todo um ciclo de histórias de heroísmo.

Portanto, os reis mantiveram a distância, e Strabonus convocou os arqueiros semitas para, de longe, atirarem flechas no adversário. Seus capitães haviam tombado como grãos maduros diante da espada de lâmina larga do cimério, e Strabonus, tão mesquinho com seus cavaleiros quanto com seu ouro, estava espumando de raiva. Mas Tsotha sacudiu a cabeça.

— Capturem-no com vida.

— Falar é fácil — rosnou Strabonus, receoso de que o gigante de cota de malha negra pudesse abrir caminho até eles com suas lanças. — Quem consegue capturar com vida um tigre devorador de homens? Por Ishtar, o calcanhar dele está no pescoço dos meus melhores espadachins! Foram necessários sete anos e pilhas de ouro para treinar cada um, e ali jazem todos, comida para os abutres. Flechas, digo eu.

— Mais uma vez, não! — retrucou Tsotha, descendo do cavalo. Ele riu friamente. — Após todo esse tempo, ainda não aprendeu que o meu cérebro é mais poderoso do que qualquer espada?

Ele cruzou as fileiras de lanceiros, e os gigantes com seus elmos de aço e armaduras recuaram temerosamente, com receio até de encostar nas abas dos robes do feiticeiro. Os cavaleiros emplumados abriram espaço para ele com igual velocidade. Passou por cima dos corpos e se postou cara a cara com o rei feroz. As legiões observaram em tenso silêncio, o ar preso nos pulmões. A figura de armadura negra se ergueu ameaçadoramente diante do vulto magro em robes de seda, a espada gotejando sangue pairando no ar.

— Eu lhe ofereço a vida, Conan — disse Tsotha, uma risada cruel borbulhando no fundo da voz.

— Eu lhe dou a morte, feiticeiro — rosnou o rei, e, impulsionada por músculos de ferro e ódio feroz, a enorme espada girou em um golpe cuja intenção era cortar ao meio o torso magro de Tsotha.

Contudo, apesar dos protestos das legiões, o feiticeiro se adiantou, rápido demais para que o olho conseguisse acompanhar, e aparentemente apenas pousou uma das mãos abertas no antebraço esquerdo de Conan, em um trecho onde a cota de malha havia sido rasgada, expondo os músculos tensos. A lâmina assobiante se desviou do arco que vinha traçando, e o gigante de armadura caiu pesadamente no chão, ficando imóvel. Tsotha riu silenciosamente.

— Podem pegá-lo sem receio. As presas do leão estão recolhidas.

Os reis fitaram embasbacados o leão caído. Conan estava imóvel, como um homem morto, mas seus olhos os fitavam, arregalados, ardendo com fúria indefesa.

— O que fez com ele? — perguntou Amalrus apreensivo.

Tsotha exibiu um anel largo de desenho curioso que trazia no dedo. Ele apertou os dedos um de encontro ao outro, e na parte interna do anel uma pequenina presa de metal se projetou, como a língua de uma serpente.

— Foi mergulhado nos sucos da lótus roxa, que cresce nos pântanos assombrados do sul da Estígia — disse o mago. — Seu toque causa paralisia temporária. O acorrente e o jogue em uma carruagem. O sol está se pondo, e está na hora de pegarmos a estrada para Khorshemish.

Strabonus se virou para o general Arbanus.

— Retornaremos para Khorshemish com os feridos. Apenas uma tropa da cavalaria real nos acompanhará. Suas ordens são para marchar até a fronteira aquiloniana e sitiar a cidade de Shamar. Os ophirianos lhes fornecerão alimentos ao longo da marcha. Nós nos juntaremos a vocês assim que possível, com reforços.

Com isso, a legião, com os cavaleiros em armaduras de aço, os lanceiros, os arqueiros e os serviçais de campo, seguiu para o acampamento nas pradarias próximas ao campo de batalha. E, durante a noite estrelada, os dois reis e o feiticeiro, que era maior do que qualquer rei, cavalgaram até a capital de Strabonus, no meio da reluzente tropa palaciana, acompanhados por uma longa fila de carruagens que carregavam os feridos. Em uma dessas carruagens estava Conan, o rei da Aquilônia, acorrentado, com o amargor da derrota na boca e a fúria cega de um tigre aprisionado na alma.

O veneno que congelara seus poderosos membros, o deixando indefeso, não lhe paralisara o cérebro. Enquanto a carruagem que o transportava cruzava as pradarias, em seus pensamentos repassava de maneira enlouquecedora a derrota. Amalrus enviara um emissário implorando auxílio contra Strabonus, que, de acordo com ele, estava saqueando o domínio ocidental, que separava a fronteira da Aquilônia e o vasto reino do sul de Koth. Ele solicitou apenas mil cavaleiros e a presença de Conan, a fim de animar os súditos desmoralizados. Conan blasfemou mentalmente. Buscando ser generoso, cavalgara com cinco vezes o número de guerreiros do que o solicitado pelo monarca traiçoeiro. De boa-fé, seguira até Ophir, onde fora confrontado pelos supostos rivais, aliados contra ele. Ficou bem clara a extensão de sua destreza ao terem destacado todo um exército para emboscar somente ele e seus cinco mil guerreiros.

Uma nuvem vermelha lhe velou a visão, suas veias incharam de fúria, e em suas têmporas uma pulsação latejava furiosamente. Durante toda a sua vida, jamais conhecera uma ira maior, tampouco mais impotente. Em cenas rápidas, o teatro de sua vida passou rapidamente diante dos olhos de seu pensamento, um panorama no qual se moviam figuras sombrias que eram ele mesmo, em diversos aspectos e condições, um bárbaro usando peles; um espadachim mercenário em um elmo com chifres e peitoral de cota de malha escamosa; um corsário em uma galé com um dragão na proa, que deixou atrás de si um rastro carmesim de sangue e pilhagem ao longo das costas do sul; um capitão de legiões em armadura de aço, montado em um corcel negro empinando; um rei em um trono dourado com a flâmula do leão tremeluzente acima e rodeado por multidões ajoelhadas de cortesãos e de damas de cores vivas. Mas sempre o sacudir e o barulho da carruagem, com enlouquecedora monotonia, traziam seus pensamentos de volta para a traição de Amalrus e para a feitiçaria de Tsotha. As veias quase estouravam em suas têmporas, e os gritos dos feridos o enchiam de feroz satisfação.

Antes da meia-noite, eles cruzaram a fronteira ophiriana, e, com a alvorada, as torres de Khorshemish se ergueram reluzentes e tingidas de encarnado no horizonte sudeste, as esguias projeções eram obscurecidas pela terrível cidadela escarlate, que, ao longe, parecia uma mancha de sangue brilhante no céu. Aquele era o castelo de Tsotha. Apenas uma única rua estreita, pavimentada com mármore e protegida por pesados portões de ferro, levava até ela, que coroava a colina, dominando a cidade. As laterais da colina eram íngremes demais para serem escaladas. Das muralhas da cidadela, era possível enxergar as largas ruas brancas da cidade, assim como torres de mesquitas, lojas, templos, mansões e mercados populares. Do alto, também podia se enxergar o palácio do rei, rodeado por amplos jardins, murros altos e frutíferos pomares, nos quais rios artificias murmuravam e chafarizes prateados incessantemente produziam ondas. A cidadela parecia pairar sobre toda a região, como um condor pousado sobre a presa, concentrado em suas próprias meditações sombrias.

Os poderosos portões entre as enormes torres da muralha externa abriram ruidosamente, e o rei adentrou a capital em meio a fileiras de lanceiros reluzentes, enquanto cinquenta trombetas soavam em saudação. Mas não havia multidões ocupando as ruas pavimentadas de branco, jogando rosas diante dos cascos do conquistador. Strabonus se antecipara à notícia da batalha, e as pessoas, recém-despertando para as ocupações do dia, fitavam boquiabertas o rei retornando com uma pequena comitiva, sem saber ao certo se isso significava vitória ou derrota.

Conan, à medida que a vida lentamente voltava a se mover em suas veias, estendeu o pescoço do chão da carruagem para ver as maravilhas da cidade que os homens chamavam de Rainha do Sul. Ele pensara em um dia cavalgar por esses portões dourados na liderança de seus esquadrões de soldados armados, com a flâmula do grande leão tremulando acima de sua cabeça protegida pelo elmo. Em vez disso, estava chegando acorrentado, despido de sua armadura e jogado como um escravo cativo no piso de bronze da carruagem do conquistador. Uma demoníaca hilaridade de escárnio rebelde superou sua fúria. Todavia, para os nervosos soldados que dirigiam a carroça, a risada do homem soou como um urro de um leão que se erguia.

II

Concha reluzente de uma mentira desgastada, fábula do direito divino.
Você recebeu sua coroa por herança, mas a minha com sangue paguei o destino.
O trono que conquistei com sangue e suor, por Crom, eu não venderei.
Não pela promessa de vales de ouro, nem com a ameaça dos salões do inferno irei.

A estrada dos reis

Na cidadela, em uma câmara com um teto abobadado de azeviche entalhado e arcos nas portas que tremeluziam com o brilho de estranhas joias escuras, uma estranha reunião se concretizou. Conan da Aquilônia, com o sangue coagulado das feridas não enfaixadas revestindo os membros maciços, encarava seus captores. De ambos os lados dele estavam postados uma dúzia de gigantes negros, segurando com força seus machados de cabo comprido. Diante dele estava Tsotha, e em divãs estavam reclinados Strabonus e Amalrus, usando seda e ouro, reluzindo com joias, enquanto jovens escravos nus ao lado deles lhe serviam vinho em canecas entalhadas de uma única safira. Em intenso contraste estava Conan, inflexível, manchado de sangue, nu exceto pela tanga, grilhões nos poderosos membros, seus olhos azuis ardendo por baixo da juba negra desgrenhada que cobria a testa franzida. Ele dominava a cena, deixando sem qualquer valor toda a pompa dos conquistadores apenas com a incrível vitalidade de sua personalidade elementar, e cada um dos reis, em seu orgulho e esplendor, tinha ciência disso na intimidade do coração e não estavam tranquilos. Apenas Tsotha parecia imperturbável.

— Nossos desejos serão rapidamente expressos, rei da Aquilônia — disse Tsotha. — É nosso desejo expandir o nosso império.

— E, para isso, querem emporcalhar o meu reino — sussurrou Conan.

— O que é você, senão um aventureiro, se apoderando de uma coroa à qual não tinha mais direito do que qualquer outro bárbaro errante? — protestou Amalrus. — Estamos preparados para lhe oferecer uma compensação adequada...

— Compensação! — Uma profunda gargalhada escapuliu do poderoso peito de Conan. — O preço da traição e da infâmia! Eu sou um bárbaro, então devo vender o meu reino e o meu povo pela minha vida e pelo seu ouro sujo? Rá! Como foi que conseguiram a coroa, você e esse porco de cara escura ao seu lado? Seus pais se encarregaram das batalhas e do sofrimento e passaram as coroas para vocês em bandejas douradas. O que vocês herdaram sem erguer um dedo, exceto para envenenar alguns irmãos, eu lutei para conquistar.

"Vocês se sentam em cetim, bebem vinho que o povo trabalha para fazer e falam do direito divino à soberania... Rá! Eu escalei do abismo da barbárie nua até o trono e, nessa escalada, derramei o meu sangue tão livremente quanto derramei o de outros. Se algum de nós tem o direito de governar homens, por Crom, sou eu! Como é que se provaram meus superiores?

"Eu encontrei a Aquilônia nas garras de um porco como vocês... um que se orgulhava da sua genealogia remontar há mil anos. As terras estavam divididas pelas guerras dos barões, e as pessoas sofriam com a opressão e a taxação. Hoje, nenhum nobre aquiloniano ousa maltratar o mais humilde dos meus súditos, e os impostos cobrados do povo são mais brandos do que em qualquer outro lugar do mundo.

"E quanto a vocês? Seu irmão, Amalrus, detém a metade oriental do seu reino e o desafia. E você, Strabonus, seus soldados estão, agora mesmo, sitiando castelos de uma dúzia dos seus barões mais rebeldes. Os povos de ambos os seus reinos são soterrados pelo peso de impostos e taxas tirânicos. E vocês querem saquear o meu? Rá! Liberte minhas mãos, e eu envernizarei esse chão com os seus miolos!"

Tsotha sorriu friamente ao ver a fúria de seus companheiros augustos.

— Tudo isso, embora seja verdade, não vem ao caso. Nossos planos não lhe dizem respeito. Sua responsabilidade chegará ao fim quando assinar este papiro, que é uma abdicação em favor do príncipe Arpello de Pellia. Nós lhe daremos armas e um cavalo, além de cinco mil lunas de ouro, e o escoltaremos até a fronteira oriental.

— Me deixando a deriva exatamente onde eu estava quando cheguei cavalgando na Aquilônia para me alistar nos exércitos dela, exceto que terei o fardo a mais do nome de um traidor! — A risada de Conan era como o latido breve e profundo de um lobo cinzento. — Arpello, não é? Eu já desconfiava daquele açougueiro da Pellia. Será que não podem roubar e pilhar franca e honestamente, mas precisam de uma desculpa, mesmo que tão furada? Arpello alega ter um traço de sangue real, então vocês o usam como uma desculpa para roubo, e um sátrapa através do qual poderão governar. Eu os verei no inferno antes.

— Você é um tolo! — exclamou Amalrus. — Você está nas nossas mãos, e podemos tomar a sua coroa e a sua vida ao nosso bel-prazer!

A resposta de Conan não foi augusta nem digna, mas caracteristicamente instintiva do homem, cuja natureza bárbara jamais fora submersa em sua cultura adotada. Ele cuspiu em cheio nos olhos de Amalrus. O rei de Ophir se levantou com um salto e um grito de fúria indignada, levando a mão à espada delgada. Desembainhando-a, ele avançou na direção do cimério, mas Tsotha interviu.

— Espere, majestade, esse homem é meu prisioneiro.

— Saia da frente, feiticeiro! — gritou Amalrus, enlouquecido pela expressão zombeteira dos olhos azuis do cimério.

— Para trás, ordeno! — rugiu Tsotha, tendo sua impressionante ira despertada.

Sua mão magra emergiu de dentro da manga larga e lançou uma nuvem de pó no rosto contorcido do ophiriano. Amalrus gritou e cambaleou para trás, largando a espada no chão e levando as mãos aos olhos. Ele se largou no divã enquanto os guardas kothianos simplesmente ficaram olhando, e o rei Strabonus apressadamente tomou outro gole de vinho, segurando o cálice com mãos trêmulas. Amalrus abaixou as mãos e sacudiu violentamente a cabeça, a inteligência lentamente voltando aos olhos acinzentados.

— Eu fiquei cego — rosnou. — O que fez comigo, feiticeiro?

— Apenas um gesto para convencê-lo de quem é o verdadeiro mestre — retrucou Tsotha, a máscara de seu fingimento formal deixada de lado, revelando a personalidade maligna do homem. — Strabonus já aprendeu a lição dele. Que você aprenda a sua. Foi apenas um pó que encontrei em uma tumba estígia que eu joguei nos seus olhos. Se eu tiver que tirar a sua visão novamente, eu o deixarei tateando na escuridão pelo resto da sua vida.

Amalrus deu de ombros, sorriu esquisitamente e estendeu a mão para um cálice, disfarçando o medo e a fúria. Um diplomata refinado, não demorou para recuperar o seu equilíbrio. Tsotha se voltou para Conan, que permanecera postado imperturbavelmente durante o episódio. Ante um gesto do feiticeiro, os guardas seguraram o prisioneiro e o marcharam atrás de Tsotha, que abriu caminho para fora da câmara, através de uma porta em arco que levava a um sinuoso corredor. Ali o piso era um mosaico multicolorido e as paredes exibiam detalhes dourados e prateados. Do teto arqueado pendiam incensórios dourados, que preenchiam o corredor com nuvens perfumadas. Eles pegaram um corredor menor, de jade preto e azeviche, sombrio e terrível, e que terminava em uma porta de metal em arco, em cima da qual um crânio humano sorria horrivelmente. Diante da porta estava uma figura gorda e repugnante, balançando um molho de chaves... o eunuco-chefe de Tsotha, Shukeli, de quem histórias terríveis eram sussurradas... um homem no qual os sentimentos humanos normais foram substituídos por um entusiasmo bestial pela tortura.

A porta de metal levava a uma escadaria estreita e sinuosa que parecia conduzir às entranhas da colina onde ficava a cidadela. Escada abaixo seguiu o grupo, por fim se detendo diante de uma porta de ferro, que parecia ser desnecessariamente forte. Era evidente que ela não abria para o ar livre, no entanto parecia ser feita para suportar as investidas de aríetes e bate-estacas. Shukeli a abriu, e, quando ele empurrou a pesada porta, Conan notou a evidente inquietação entre os gigantes negros que o rodeavam. O próprio Shukeli não parecia de todo desprovido de nervosismo ao espiar a escuridão além. No interior da grande porta havia uma segunda barreira, composta de pesadas barras de ferro. Era aferrolhada por uma engenhosa tranca que não tinha fechadura, e que só podia ser manuseada pelo lado de fora. Após o ferrolho ter sido puxado para trás, a grade deslizou para dentro da parede. Eles se adiantaram para um corredor largo com piso, paredes e teto arqueados que pareciam ter sido entalhados na própria pedra sólida. Conan sabia que avançara um bocado no subterrâneo. Estava debaixo da própria colina. A escuridão parecia avançar sobre as tochas dos guardas como algo dotado de razão, uma coisa animada.

Eles prenderam o rei em uma argola fixada na parede de pedra. Colocaram uma tocha em um nicho da parede, acima da cabeça de Conan, fazendo com que ele ficasse no centro de um semicírculo de luz fraca. Os guardas, ansiosos para ir embora, murmuravam entre si e lançavam olhares assustados para a escuridão. Tsotha fez um sinal para que saíssem, e eles apressadamente se amontoaram na porta, como que receando que a escuridão pudesse assumir uma forma tangível e se lançar sobre eles. Tsotha se virou para Conan, e o rei inquietamente notou que os olhos do feiticeiro brilhavam na semiescuridão e que seus dentes lembravam as presas de um lobo, sua brancura reluzindo nas sombras.

— E agora eu me despeço, bárbaro — zombou o feiticeiro. — Eu preciso cavalgar até o cerco em Shamar. Em dez dias, chegarei ao seu palácio em Tamar com os meus guerreiros. Que recado devo dar para as suas mulheres, antes de esfolar as peles delicadas delas para os pergaminhos onde registrarei os triunfos de Tsotha-lanti?

Conan respondeu com uma cáustica praga ciméria que teria estourado os tímpanos de um homem comum, e, rindo baixinho, Tsotha se retirou. Conan pôde vislumbrar sua figura semelhante a um abutre através das grossas barras quando o feiticeiro fechou a grade. Em seguida, a pesada porta externa ressoou, e o silêncio caiu como uma mortalha.

III

Pelos corredores do inferno marchou o leão
No caminho, sombras terríveis derrubou
Formas inomináveis inquietas derrotou
Monstros com as mandíbulas salivantes escancaradas
A escuridão estremeceu com gritos e bradadas
Quando pelos corredores do inferno marchou o leão

Antiga balada

O rei Conan testou o anel na parede e a corrente que o prendia. Seus membros estavam livres, contudo ele sabia que os grilhões estavam além até mesmo de sua força férrea. Os elos da corrente eram tão grossos quanto seu polegar e estavam presos a uma argola de aço ao redor de sua cintura, uma argola tão larga quanto sua mão e com um centímetro e meio de espessura. O simples peso de seus grilhões teria matado de exaustão qualquer homem menos forte. Os cadeados que prendiam a argola e as correntes eram coisas enormes que uma marreta mal poderia ter amassado. Quanto ao anel, evidentemente atravessava a parede, se fechando do outro lado.

Conan praguejou, e o pânico tomou conta dele enquanto fitava a escuridão que ameaçava avançar para dentro do semicírculo de luz. Todo o medo supersticioso do bárbaro dormia em sua alma, intocado por lógica civilizada. Sua imaginação primitiva povoava a escuridão subterrânea com formas terríveis. Além disso, sua razão lhe dizia que não fora colocado ali apenas para confinamento. Seus captores não tinham motivo para poupá-lo. Ele fora colocado naquele calabouço para sua ruína definitiva. Amaldiçoou-se por ter recusado a oferta deles, ao mesmo tempo em que sua obstinada masculinidade se revoltava ante a noção, e Conan sabia que, se fosse levado até eles novamente e lhe oferecessem uma segunda chance, sua resposta seria a mesma. Ele não venderia seus súditos ao açougueiro. E, no entanto, não fora pensando no ganho de qualquer outro senão ele mesmo que, originariamente, se apossara do trono. E é assim que o instinto de responsabilidade soberana às vezes se instala até em um saqueador sanguinário.

Conan pensou na última ameaça abominável de Tsotha e gemeu com fúria enojada, sabendo que não se tratava de bravata vã. Para o feiticeiro, homens e mulheres não significavam mais do que insetos inquietos diante de cientistas. Macias mãos brancas que o acariciaram, lábios vermelhos que já haviam se pressionado de encontro aos dele, delicados seios brancos que haviam estremecido antes seus selvagens beijos ardentes, para serem privados da pele delicada, brancos como o marfim e rosados como delicadas pétalas... Dos lábios de Conan irrompeu um grito tão temível e inumano naquela fúria enlouquecida que qualquer um que o escutasse teria se admirado de saber que o som viera de uma garganta humana.

Os ecos estremecedores o sobressaltaram, trazendo a situação vividamente de volta para o rei. Ele fitou ferozmente a escuridão externa e pensou nas terríveis histórias que escutara da crueldade necromântica de Tsotha, e foi com uma sensação gelada lhe percorrendo a espinha que se deu conta de que aqueles deviam ser os lendários Corredores do Terror, os túneis e calabouços onde Tsotha realizava terríveis experimentos com seres humanos, bestiais e, era sussurrado, demoníacos, manipulando com blasfêmia os elementos básicos da própria vida. Diziam os rumores que o poeta louco, Rinaldo, visitara aquelas minas, onde o feiticeiro lhe mostrara horrores, e que as monstruosidades inomináveis que ele declamara no terrível poema "A Canção do Abismo" não eram simples fantasias de um cérebro doente. Aquele cérebro fora esmigalhado pelo machado de guerra de Conan, na noite em que o rei lutara por sua vida com os assassinos que o rimador louco traiçoeiramente liderara até o palácio, mas as palavras arrepiantes daquela música ainda ecoavam nos ouvidos do rei enquanto estava ali acorrentado.

Até no pensamento o cimério foi paralisado por um ligeiro som de roçar, suas implicações de gelar o sangue. Ele se retesou em uma atitude de escuta, dolorosa em sua intensidade. Uma mão gelada se apertou ao redor de sua espinha. Era o inconfundível som de escamas maleáveis suavemente deslizando pela pedra. Suor frio brotou em sua pele, quando, além do anel de luz fraca, ele enxergou uma forma vaga e colossal, terrível até mesmo em sua ausência de definição. O vulto se empinou, oscilando ligeiramente, e olhos amarelados arderam geladamente nas sombras, o fitando. Aos poucos, uma cabeça enorme e terrível em forma de cunha começou a tomar forma diante de seus olhos arregalados, e, da escuridão, brotou, em espirais escamosas que fluíam, o horror supremo do desenvolvimento reptiliano.

Era uma cobra que superava em tamanho todas as ideias anteriores de uma cobra que Conan já tivera. Ela se estendia por quase vinte e cinco metros da extremidade da cauda pontuda até a cabeça triangular, que era maior do que a de um cavalo. Na luz fraca, as escamas reluziam friamente, brancas como lascas de gelo. Com certeza aquele réptil nascera e crescera na escuridão, no entanto, seus olhos eram certeiros e repletos de maldade. Ela enroscou as espirais titânicas diante do prisioneiro, e a enorme cabeça apoiada naquele pescoço arqueado oscilou a centímetros de seu rosto. A língua bifurcada quase roçou nos lábios de Conan ao dardejar para dentro e para fora, e o seu odor fétido chegou a deixá-lo nauseado. Os enormes olhos amarelados se fixaram ardentemente nos dele, e Conan retribuiu o olhar com a intensidade de um lobo aprisionado. Ele lutou contra o impulso insano de agarrar o grande pescoço arqueado com suas mãos furiosas. Forte além das compreensões do homem civilizado, já partira o pescoço de um píton em uma batalha violenta na costa estígia, nos dias de pirataria. Mas aquele réptil era venenoso. O rei podia ver as enormes presas, de mais de trinta centímetros de comprimento, curvas como cimitarras. Delas pingavam um líquido incolor que ele instintivamente sabia ser a morte. Possivelmente poderia esmagar aquele crânio em forma de cunha com os desesperados punhos cerrados, mas sabia que, ao primeiro sinal de movimento, o monstro atacaria como um raio.

Não era por causa de nenhum processo de raciocínio lógico que Conan permaneceu imóvel, já que a razão poderia ter lhe dito que, como já estava mesmo condenado, poderia provocar a cobra para que ela o atacasse, dando logo um fim a tudo. Era o instinto cego da autopreservação que o mantinha imóvel como uma estátua do mais puro ferro.

Aquele corpo enorme se empinou, e a cabeça ficou suspensa acima da dele enquanto o monstro investigava a tocha. Uma gota do veneno pingou na coxa nua, e a sensação foi como a de uma faca em brasa sendo enterrada em sua carne. Jatos vermelhos de agonia atravessaram o cérebro de Conan. No entanto, ele permaneceu imóvel, nem um único músculo se mexendo, nem um único tremor dos cílios traindo a dor da agonia que deixou uma cicatriz que ele carregaria consigo até o dia de sua morte.

A serpente oscilou acima de sua cabeça, como se tentasse determinar se havia vida de verdade naquela figura tão imóvel quanto a própria morte. E então, súbita e inesperadamente, a porta externa, praticamente invisível nas sombras, clangorou estridentemente. A serpente, tão desconfiada quanto todas de sua espécie, se virou com impressionante velocidade para o seu tamanho e desapareceu sibilando prolongadamente corredor abaixo. A porta se abriu e permaneceu aberta. A grade foi recolhida, e uma enorme figura escura apareceu emoldurada pelo brilho das tochas no lado de fora. A figura deslizou para dentro da cela, parcialmente fechando a grade, deixando o ferrolho suspenso. Quando se aproximou da luz da tocha acima da cabeça de Conan, o rei viu que era um gigantesco homem negro, completamente nu, trazendo em uma das mãos uma enorme espada e, na outra, um molho de chaves. O homem falou em um dialeto da região costeira, e Conan respondeu, havendo aprendido o jargão quando era um pirata na costa de Kush.

— Há muito que eu queria conhecer você, Amra.

O homem se dirigiu a Conan pelo nome pelo qual o cimério fora conhecido pelos kushitas nos dias de pirataria — Amra, o Leão. Um sorriso animalesco estampou os lábios do escravo, revelando presas brancas, mas seus olhos emitiam um brilho avermelhado.

— Eu ousei muito para conseguir este encontro! Olhe! As chaves para os seus grilhões! Eu as roubei de Shukeli. O que você me dará por elas?

Ele balançou as chaves diante dos olhos de Conan.

— Dez mil lunas de ouro — respondeu o rei rapidamente, uma nova esperança brotando ferozmente em seu peito.

— Não é o suficiente! — exclamou o homem negro, uma feroz exultação reluzindo em seu semblante cor de ébano. — Não é o suficiente pelos riscos que eu corro. Os bichinhos de estimação de Tsotha podem sair da escuridão e me devorar, e, se Shukeli descobrir que eu roubei as chaves, ele me pendurará pelos meus... bem, o que você me dará?

— Quinze mil lunas e um palácio em Poitain — ofereceu o rei.

O homem negro berrou e bateu os pés no chão em um frenesi de gratificação bárbara.

— Mais — exclamou. — Me ofereça mais! O que você me dará?

— Seu cão sarnento! — Uma névoa vermelha de fúria cruzou o olhar de Conan. — Se eu estivesse livre, eu lhe daria a espinha partida! Shukeli o enviou até aqui para zombar de mim?

— Shukeli nada sabe de minha vinda até aqui, homem branco — respondeu o outro, esticando o pescoço grosso para fitar os olhos selvagens de Conan. — Eu conheço você de longa data, desde os dias em que eu era o chefe de um povo livre, antes dos estígios me pegarem e me venderem para o norte. Não se lembra do saque a Abombi, quando os seus lobos do mar invadiram? Diante do palácio do rei Ajaga, você matou um chefe, e um chefe fugiu de você. Foi o meu irmão que você matou, e fui eu quem fugiu. Exijo de você um pagamento em sangue, Amra!

— Me liberte e eu lhe pagarei o seu peso em ouro — rosnou Conan.

Os olhos injetados reluziram e os dentes brancos brilharam ferozmente sob a luz das tochas.

— Sim, seu cão branco, você é como todos da sua raça, mas para um homem negro, o ouro jamais poderá pagar pelo sangue. O preço que eu exijo é... a sua cabeça!

A última palavra foi um grito maníaco que ecoou pelo calabouço. Conan se retesou, inconscientemente forçando os grilões em sua aversão a morrer como uma ovelha, para, em seguida, se ver paralisado por um terror muito maior. Por cima do ombro do escravo, viu uma horrível forma vaga oscilando na escuridão.

— Tsotha jamais saberá! — gargalhou perversamente o homem negro, absorto demais em suas bravatas para prestar atenção em qualquer outra coisa, embriagado demais pelo ódio para saber que a Morte oscilava por trás de seu ombro. — Ele só voltará às catacumbas quando os demônios já tiverem arrancado os seus ossos das correntes. Eu terei a sua cabeça, Amra!

Ele se apoiou nas pernas como colunas de ébano, erguendo a enorme espada com ambas as mãos, seus grandes músculos negros flexionando e se retesando sob a luz das tochas. E, naquele instante, a sombra titânica atrás dele disparou para baixo e adiante, a cabeça em forma de cunha o golpeando com um impacto que ecoou pelos tuneis. Nem um único som escapuliu dos grossos lábios carnudos que se contorceram em uma agonia fugaz. Com o baque do golpe, Conan pôde ver a vida desaparecer dos grandes olhos com a rapidez de uma vela sendo apagada. O impacto jogou o corpo do outro lado do corredor, e, horripilantemente, a gigantesca forma sinuosa o envolveu com espirais reluzentes que o esconderam da vista, e os estalos da fragmentação dos ossos ecoaram claramente para os ouvidos de Conan. Em seguida, algo fez o coração dele dar um salto enlouquecido. A espada e as chaves haviam voado da mão do homem negro, aterrissando ruidosamente no chão de pedra — e as chaves estavam quase aos pés de Conan.

Ele tentou se curvar até elas, mas a corrente era curta demais. Quase sufocado pelo bater alucinado do coração, retirou um dos pés da sandália e agarrou as chaves com os dedos dos pés. Puxando o pé para si, as agarrou ferozmente, mal reprimindo o urro de violenta satisfação que instintivamente lhe subiu até os lábios.

Após um instante lidando com os grossos cadeados, ele estava livre. Pegou a espada do chão e olhou ao redor. Seus olhos encontraram apenas a escuridão vazia, para dentro da qual a serpente arrastara o objeto mutilado e retalhado que mal lembrava o corpo de um homem. Conan se voltou para a porta aberta. Com alguns passos rápidos se viu no limiar. Uma gargalhada estridente ecoou pelo calabouço, e a grade se fechou bem debaixo dos dedos do rei, o ferrolho se fechando ruidosamente. Através das barras espiava um rosto como o de uma gárgula zombeteira... Shukeli, o eunuco, que viera atrás das chaves roubadas. Decerto, ao tripudiar, deixara de ver a espada nas mãos do prisioneiro. Praguejando terrivelmente, Conan atacou como uma cobra. A grande lâmina sibilou por entre as barras e a gargalhada de Shukeli se transformou em um grito de morte. O eunuco gordo se curvou para a frente, como se fizesse uma reverência para aquele que o matara, e desmoronou, suas mãos rechonchudas inutilmente tentando conter as entranhas dentro do corpo.

Conan rosnou de selvagem satisfação, porém ainda era um prisioneiro. As chaves eram inúteis contra o ferrolho, que só podia ser aberto pelo lado de fora. Seu toque experiente lhe dizia que as barras eram tão sólidas quanto a espada, e qualquer tentativa de cortar um caminho até a liberdade apenas deixaria estilhaçada a única arma que tinha. No entanto, encontrou entalhes nas barras adamantinas, como as marcas de presas incríveis, e, com um tremor involuntário, se perguntou que monstros terríveis haveriam de ter atacado as barreiras. Ainda assim, só lhe restava um último recurso, que era procurar outra saída. Pegando a tocha do nicho, começou a marchar corredor abaixo, de espada em mão. O único vestígio que sobrara da serpente e da vítima dela era uma grande mancha de sangue no chão de pedra.

A escuridão o seguia com pés silenciosos, quase sem ser afugentada pela própria tocha tremeluzente. De ambos os lados identificou aberturas escuras, mas permaneceu no corredor principal, observando com muita atenção o chão à sua frente, para não cair em alguma vala. E, subitamente, escutou o som de uma mulher chorando copiosamente. Alguma outra vítima de Tsotha, pensou, mais uma vez amaldiçoando o feiticeiro, e, tomando uma das passagens laterais, seguiu o som por um túnel menor, úmido e abafado.

O choro foi ficando mais alto à medida que ele avançava, e, erguendo a tocha, conseguiu identificar um vulto indistinto nas sombras. Aproximando-se, se deteve com um horror súbito ante a massa amorfa que se esparramava logo à frente. Os contornos pouco distintos sugeriam um polvo, mas os tentáculos mal formados eram curtos demais para o tamanho da criatura, e era feita de algo gelatinoso e trêmulo que deixou Conan nauseado só de olhar. Do meio daquela repugnante massa gélida apareceu uma cabeça semelhante à de um sapo, e Conan ficou paralisado de horror nauseado ao se dar conta de que o som de choro estava vindo daqueles obscenos lábios protuberantes. O som mudou para um abominável guincho agudo quando os grandes olhos instáveis da monstruosidade se fixaram nele, e ela voltou sua massa trêmula na direção do rei. Sem confiar na espada, Conan recuou e saiu correndo pelo túnel. A criatura podia ser feita de materiais terrenos, mas abalava sua alma profundamente só de olhá-la, e ele tinha dúvidas se armas humanas poderiam lhe fazer mal. Por uma breve distância, pôde escutá-la se debatendo em seu encalço, suas gargalhadas terríveis ecoando pelo corredor. O inconfundível tom de humor humano em seus guinchos abalava a própria razão de Conan. Era exatamente a gargalhada que ele escutara brotar obscenamente dos lábios cheios das mulheres lascivas de Shadizar, a cidade da perversidade, onde jovens prisioneiras eram deixadas nuas para os leilões públicos. Com que poderes infernais Tsotha dera vida àquela criatura sobrenatural? Conan tinha a vaga impressão de que presenciara uma blasfêmia contra as leis eternas da natureza.

Correu em direção ao corredor principal, porém, antes de alcançá-lo, cruzou uma pequena câmara quadrada, onde dois túneis se cruzavam. Ao alcançar a câmara, brevemente pôde perceber uma pequena massa achatada no chão à sua frente. Antes que pudesse se certificar do que era, ou desviar para o lado, seu pé bateu em algo que fez um barulho estridente e ele foi precipitado para frente. A tocha voou de sua mão se apagou ao atingir o chão de pedra. Meio atordoado pela queda, Conan levantou-se e tateou na escuridão. Seu senso de direção estava confuso, e ele não conseguia se decidir em que direção ficava o corredor principal. Não procurou a tocha, pois não tinha meios de reacendê-la. As mãos tateantes encontraram as aberturas dos túneis, e ele optou por uma ao acaso. Quanto tempo avançou em total escuridão, ele jamais soube, mas, subitamente, seu instinto bárbaro de perigo próximo o deteve.

Teve a mesma sensação que já tivera quando postado à beira de um grande precipício na escuridão. Deixando-se cair de quatro, foi se adiantando lentamente, e, em pouco tempo, sua mão estendida encontrou a beirada de um poço, para dentro do qual o chão se abria abruptamente. O poço estendia-se para além de onde ele conseguia tatear, úmido e pegajoso ao seu toque. Estendeu a mão na escuridão e mal conseguiu tocar na borda oposta com a ponta da espada. Poderia saltar até o outro lado, porém não havia porque fazê-lo. Pegara o túnel errado, e o corredor principal ficava em algum lugar atrás dele.

No instante em que pensou nisso, sentiu um leve movimento do ar, um vento sombrio que, subindo do poço, fez agitar sua cabeleira negra. Conan ficou arrepiado. Tentou se convencer de que o poço, de algum modo, se conectava com o mundo externo, mas algo em seus instintos lhe dizia que se tratava de algo sobrenatural. Não estava apenas no interior da colina, mas debaixo dela, bem abaixo do nível das ruas da cidade. Como então uma brisa poderia podia abrir caminho até o interior das catacumbas e soprar vindo de baixo? Uma leve palpitação pulsou daquele vento fantasmagórico, como um tambor muito, muito, abaixo. Um forte tremor sacudiu o rei da Aquilônia.

Ficando de pé, ele recuou, e, quando fez isso, algo flutuou para fora do poço. O que era, Conan não saberia dizer. Não conseguia enxergar nada na escuridão, mas ele distintamente sentiu uma presença... uma inteligência invisível, intangível que pairava malignamente perto dele. Virando-se, fugiu na direção de que havia vindo. Lá adiante, avistou uma minúscula fagulha avermelhada. Seguiu rumo a ela e, muito antes de pensar em alcançá-la, se deparou com uma parede sólida e viu a centelha aos seus pés. Era sua tocha, a chama apagada, mas com uma brasa reluzente na ponta. Cuidadosamente, Conan a pegou e soprou, reacendendo a chama. Suspirou aliviado quando a pequena chama deu um salto. Estava de volta na câmara onde os túneis se cruzavam, e seu senso de direção retornou.

Localizou o túnel que usara para deixar o corredor principal, e, quando fez menção de avançar naquela direção, a chama tremulou violentamente, como se tivesse sido soprada por lábios invisíveis. Mais uma vez, sentiu uma presença e ergueu a tocha, olhando ao redor.

Nada viu, contudo, de algum modo, pressentia algo invisível e incorpóreo pairando no ar, gotejando viscosamente e proferindo obscenidades que ele não conseguia escutar, mas que, de alguma maneira instintiva, podia pressentir. Virou-se violentamente com a espada e sentiu como se estivesse cortando teias de aranha. Um terror frio se apossou dele, e o rei bárbaro saiu correndo túnel abaixo, fugindo de um hálito fétido que sentia nas costas nuas ao correr.

Quando chegou ao corredor largo, não estava mais ciente de qualquer presença, visível ou invisível. Desceu pelo túnel, por um instante meio que esperando que demônios com presas e garras saltassem sobre ele da escuridão. Os túneis não estavam em silêncio. Das entranhas da terra, de todas as direções, vinham sons que não pertenciam ao mundo são. Havia risinhos, guinchos de alegria demoníaca, demorados uivos assustadores, e, uma vez, ouviu a inconfundível gargalhada de uma hiena, horripilantemente terminando em palavras humanas de gritante blasfêmia. Escutou o barulho de pés furtivos e, na boca dos túneis, vislumbrou formas sombrias, monstruosas e anormais os rodeando.

Era como se tivesse adentrado o inferno, um inferno criado por Tsotha-lanti. Mas as coisas sombrias não vinham até o grande corredor, embora ele distintamente escutasse a sucção gulosa de lábios babando e sentisse o brilho ardente de olhos famintos. E logo soube o porquê. Um som deslizando atrás dele o eletrificou, e Conan saltou para a escuridão de um túnel próximo, sacudindo a tocha. No corredor, ouviu a grande serpente rastejando, preguiçosa após a horrenda refeição recente. Ao lado dele, algo choramingou de medo e se afastou na escuridão. Evidentemente, o corredor principal era o território de caça da grande serpente, e os outros monstros lhe davam espaço.

Para Conan, a serpente era o menor dos horrores. Quase sentiu afinidade por ela ao se lembrar da obscenidade chorosa e risonha e da coisa gotejante que saíra do poço. Pelo menos era de matéria terrena, era a morte rastejante, e ameaçava apenas a extinção física, ao passo que os outros horrores também ameaçavam a sanidade e a alma.

Depois que ela continuou corredor abaixo, ele a seguiu do que torcia ser uma distância segura, soprando a tocha para voltar a acender a chama. Não avançara muito quando escutou um gemido baixo que parecia emanar da entrada escura de um túnel próximo. A cautela o alertou para prosseguir, mas a curiosidade o levou até o túnel, erguendo no alto a tocha, que àquela altura mal passava de um toco. Estava preparado para a visão de qualquer coisa, no entanto o que avistou foi mais do que estava esperando. Estava olhando para uma cela ampla, e parte dela estava isolada por barras que se estendiam do chão até o teto, firmemente enfiadas na pedra. No interior dessas barras estava uma figura, que, quando Conan se aproximou, viu se tratar de um homem, ou de algo que parecia muito ser um homem, emaranhado e aprisionado nos tentáculos de uma espessa videira que parecia crescer através da pedra sólida do chão. Era recoberta de estranhas folhas pontiagudas e brotos avermelhados — não do vermelho acetinado de pétalas naturais, mas de um carmesim pálido e anormal, como uma perversão da vida floral. Seus galhos apertados e flexíveis envolviam o corpo nu do homem, aparentemente lhe acariciando a carne retraída com beijos ávidos de luxúria. Uma grande flor pairava exatamente sobre a boca dele. Um sussurrante gemido bestial salivava dos lábios escancarados, a cabeça rolava como que em insuportável agonia, e os olhos fitavam atentamente Conan. Mas não havia a luz da inteligência neles. Estavam desprovidos de expressão, vidrados, os olhos de um néscio.

A grande flor carmesim pressionou suas pétalas sobre os lábios que se retorciam. Os braços do infeliz se contorciam de angústia enquanto as gavinhas da planta estremeciam, como se em êxtase, vibrando em todo o seu comprimento. Ondas de cores variáveis se espalharam por elas, seu tom ficando mais fechado, mais venenoso.

Conan não entendia direito o que estava vendo, mas sabia que estava testemunhando algum tipo de horror. Homem ou demônio, o sofrimento do prisioneiro tocou o coração imprevisível e impulsivo do cimério. Procurou uma entrada e encontrou uma espécie de porta em forma de grade nas barras, trancada com um pesado cadeado, para o qual encontrou a chave no molho de chaves que estava carregando, e entrou. Na mesma hora, as pétalas das flores pálidas se ouriçaram, como o capelo de uma naja se dilatando. As gavinhas se ergueram ameaçadoramente, e a planta toda estremeceu e oscilou na direção dele. Aquilo estava longe de ser o crescimento desordenada de uma vegetação normal. Conan pressentiu uma inteligência maligna. A planta podia enxergá-lo, e ele pôde sentir o ódio dela emanando em ondas quase tangíveis. Aproximando-se desconfiado, localizou o tronco central, um repulsivo talo mais grosso do que sua própria coxa, e, quando os galhos mais compridos arquearam na direção dele, com um chacoalhar de folhas e um sibilar, o gigante cimério girou a espada e, com um único golpe, cortou o tronco ao meio.

Na mesma hora, o infeliz que estava nas garras da planta foi violentamente atirado para o lado, enquanto a grande videira se contorcia e se debatia como uma serpente decepada, se enroscando até formar uma grande bola irregular. As gavinhas se debatiam e se retorciam, as folhas tremiam e se sacudiam como castanholas, as pétalas abrindo e fechando convulsivamente, e então, todo o seu comprimento se estendeu sem forças, as cores vívidas empalidecendo, um fétido líquido branco escorrendo do talo cortado.

Conan ficou fitando a cena, fascinado, antes que um som o fizesse girar, com a espada em riste. O homem libertado estava de pé, olhando para ele. Um pouco surpreso, Conan retornou o olhar. Os olhos no rosto cansado não estavam mais desprovidos de expressão. Sombrios e meditativos, estavam alertas, estampados com inteligência, e a expressão de imbecilidade desapareceu do rosto como se uma máscara lhe tivesse sido retirada. A cabeça era estreita e bem formada, com uma testa alta esplêndida. Todo o porte do homem era aristocrático, evidenciado na figura alta e esbelta e pelos pés e mãos um tanto quanto delicados e bem-cuidados. Suas primeiras palavras foram estranhas e surpreendentes.

— Em que ano estamos? — perguntou, falando kothiano.

— Hoje é o décimo dia do mês yuluk, do ano da gazela — respondeu Conan.

— Yagkoolan Ishtar! — murmurou o desconhecido. — Dez anos! — Ele passou a mão pela testa, sacudindo a cabeça como se tentasse tirar as teias de aranha do cérebro. — Tudo ainda está confuso. Após dez anos de vazio, não dá para se esperar que o cérebro comece a funcionar claramente de uma só vez. Quem é você?

— Conan, outrora da Ciméria. Agora, rei da Aquilônia.

Os olhos do outro exibiram surpresa.

— É mesmo? E Numedides?

— Eu o estrangulei no seu trono na noite em que tomei a cidade real — respondeu Conan.

Certa simplicidade na resposta do rei fez com que os lábios do desconhecido se repuxassem.

— Perdão, majestade. Eu deveria ter lhe agradecido pelo serviço que me prestou. Sou como um homem subitamente despertado de um sono mais profundo do que a morte, e repleto de agonizantes pesadelos mais brutais do que o inferno, mas entendo que foi você quem me libertou de tudo isso. Me diga, por que cortou o tronco da planta Yothga, em vez de arrancá-la pelas raízes?

— Porque há muito aprendi a evitar tocar com a minha pele qualquer coisa que eu não compreenda— foi a resposta do cimério.

— Faz bem — disse o estranho. — Se a tivesse arrancado, talvez encontrasse agarrado às raízes coisas contra as quais nem mesmo a sua espada poderia defendê-lo. As raízes da Yothga se estendem até o inferno.

— Mas quem é você? — exigiu saber Conan.

— Os homens me chamam de Pelias.

— O quê!? — exclamou o rei. — Pelias, o feiticeiro, o rival de Tsotha-lanti, que desapareceu da Terra há dez anos?

— Não inteiramente da Terra — respondeu Pelias com um sorriso irônico. — Tsotha preferiu me manter vivo, em grilhões mais terríveis do que ferro enferrujado. Ele me prendeu aqui com essa flor do diabo, cujas sementes vieram do cosmos negro de Yag, o maldito, e encontraram solo fértil apenas na corrupção de larvas retorcidas que fervilha nos chãos do inferno.

"Eu não conseguia me lembrar da minha feitiçaria, nem das palavras e dos símbolos do meu poder. Aquela coisa amaldiçoada me agarrava e sugava a minha alma com as suas carícias asquerosas. Dia e noite, ela roubava o conteúdo da minha mente, deixando o meu cérebro tão vazio quanto uma jarra de vinho furada. Dez anos! Que Ishtar nos preserve!"

Conan não teve o que responder, mas permaneceu segurando o toco da tocha e arrastando a grande espada. Com certeza, o homem era louco... no entanto, não havia qualquer traço de insanidade nos olhos escuros que calmamente repousavam sobre ele.

— Diga-me, o feiticeiro negro está em Khorshemish? Não, não precisa responder. Meus poderes estão começando a despertar, e pressinto nos seus pensamentos uma grande batalha, e um rei aprisionado por traição. E vejo Tsotha-lanti cavalgando rumo a Tybor com Strabonus e o rei de Ophir. Melhor assim. Após tanto tempo adormecida, minha arte está frágil demais para enfrentar Tsotha agora. Preciso de tempo para recuperar minhas forças. Melhor sairmos deste calabouço.

Conan balançou desanimadamente as chaves.

— A grade da porta externa é trancada por um ferrolho que só pode ser aberto por fora. Sabe de alguma outra saída desses túneis?

— Apenas uma, que nenhum de nós vai querer usar, já que ela segue para baixo, e não para cima — disse Pelias, rindo. — Mas não importa. Vamos ver essa grade.

Ele se adiantou na direção do corredor com passos incertos, com membros há muito em desuso que, aos poucos, se tornavam mais confiantes. Ao segui-lo, Conan comentou, apreensivo:

— Há uma maldita serpente gigante se esgueirando por este túnel. Temos que ter muito cuidado para não pisar na boca dela.

— Eu me lembro dessa criatura — informou em tom sério Pelias. — Considerando que fui forçado a assistir dez dos meus acólitos sendo oferecidos de comida para ela. Se trata de Satha, o antigo, o preferido dos bichos de estimação de Tsotha.

— O único motivo de Tsotha para escavar essas catacumbas foi para dar um lar para as suas amaldiçoadas monstruosidades? — perguntou o cimério.

— Ele não as escavou. Quando a cidade foi fundada, três mil anos atrás, havia as ruínas de uma cidade anterior em cima e ao redor dessa colina. O rei Khossus V, o fundador, construiu este palácio na colina e, ao escavar porões embaixo dela, se deparou com um portão que fora murado. Ao arrombá-lo, descobriu as catacumbas, que basicamente eram como você está vendo agora. Mas o seu grão-vizir teve um fim tão terrível nelas que, apavorado, Khossus mandou selar novamente a entrada. Ele disse que o vizir caiu em um poço, mas mandou soterrar os porões, e, mais tarde, abandonou o próprio palácio, construindo outro para si nos subúrbios, de onde fugiu em pânico ao descobrir, certa manhã, um mofo negro espalhado pelo chão de mármore.

"Ele partiu com toda a corte para o canto oriental do reino, onde construiu uma nova cidade. O palácio na colina nunca mais foi usado e acabou em ruínas. Quando Akkutho I reviveu as glórias perdidas de Khorshemish, ele construiu uma fortaleza ali. Coube a Tsotha-lanti erguer a cidadela escarlate e abrir novamente o caminho até as catacumbas. Qualquer que seja o destino que recaiu sobre o grão-vizir de Khossus, Tsotha conseguiu evitá-lo. Ele não caiu em nenhum poço, embora tenha descido em um poço que encontrou, e emergiu dele com uma estranha expressão que, desde então, não abandonou o seu olhar.

"Eu já vi o poço, mas não me entusiasmei em ir buscar sabedoria nele. Sou um feiticeiro, e mais velho do que poderiam imaginar, mas sou humano. Quanto a Tsotha... dizem que uma dançarina de Shadizar adormeceu perto demais das ruínas pré-humanas da colina de Dagoth, e acordou nas garras de um demônio sombrio. Daquela união profana resultou o híbrido maldito que os homens chamam de Tsotha-lanti..."

Com um grito repentino, Conan recuou, puxando para trás o companheiro. Diante deles se ergueu a grande forma branca de Satha, um ódio perene no olhar. Conan se retesou para um enlouquecido ataque frenético, se preparando para investir com tudo contra aquele semblante diabólico, lhe ceifando a vida a golpes de espada. Mas a serpente não estava olhando para ele. Por cima do ombro do rei, o olhar da criatura estava fixo no homem chamado Pelias, que estava postado com os braços cruzados, sorrindo. E, nos enormes e frios olhos amarelados, lentamente o ódio morreu, se transformando em uma expressão de puro medo... a única vez que Conan já vira tal expressão nos olhos de um réptil. E, com um movimento que pareceu um turbilhão, como a passagem de um vento forte, a grande serpente desapareceu.

— O que ele viu para amedrontá-lo? — perguntou Conan, fitando apreensivo o companheiro.

— As criaturas escamosas enxergam o que escapa aos olhos mortais — respondeu Pelias enigmaticamente. — Você vê o meu aspecto de carne, ele viu a minha alma nua.

Um calafrio gelado subiu pela espinha de Conan, e ele se perguntou se, no final das contas, Pelias seria mesmo um homem ou simplesmente outro demônio do abismo em uma máscara de humanidade. Ponderou a prudência de transpassar sem hesitação as costas do companheiro com a espada. Todavia, enquanto ponderava, chegaram à grade de aço, demarcada de preto pelas tochas acessas do outro lado dela, onde o corpo de Shukeli ainda estava caído de encontro às barras em uma massa de cor carmesim.

Pelias riu, e seu riso não foi agradável de escutar.

— Pelos quadris de marfim de Ishtar, quem é o nosso porteiro? Ora, se não é o nobre Shukeli, que pendurou meus jovens pelos pés e os esfolou vivos, gargalhando sem parar! Está dormindo, Shukeli? Por que está tão imovelmente deitado, com a barriga gorda afundada, como um porco enfeitado?

— Ele está morto — murmurou Conan, pouco à vontade com aquelas palavras sem sentido.

— Vivo ou morto, ele abrirá a porta para nós — falou Pelias com uma risada.

Batendo palmas com força, gritou:

— Se levante, Shukeli! Se levante do inferno, e se levante do chão ensanguentado, e abra a porta para os seus mestres! Se levante, eu digo!

Um terrível gemido reverberou pelas catacumbas. Conan ficou arrepiado, e sentiu seu corpo se recobrir de suor. Pois o corpo de Shukeli estremeceu e se mexeu, as mãos gordas tateando infantilmente ao redor. A gargalhada de Pelias foi implacável como uma machadinha de pederneira quando a forma do eunuco se empertigou e se sentou, agarrando as barras da grade. Vendo aquela cena, Conan sentiu o sangue virar gelo e a medula de seus ossos se transformar em água, pois os olhos arregalados de Shukeli estavam vidrados e vazios, e da enorme ferida em sua barriga as entranhas se estendiam até o chão. Os pés do eunuco cambalearam em meio às entranhas quando ele, se movendo como um autômato sem cérebro, abriu o ferrolho. Quando ele se mexera pela primeira vez, Conan achara que, por um incrível acaso, o eunuco ainda estava vivo. Mas o homem estava morto, e já fazia horas que a vida o tinha deixado.

Pelias marchou através da grade aberta, e, atrás dele, Conan, com o suor recobrindo o corpo, se espremeu pela abertura, se encolhendo para longe da terrível forma que, em pernas bambas, se apoiava na grade que mantinha aberta. Pelias continuou em frente sem olhar para trás, e Conan o seguiu, nas garras do pesadelo e da náusea. Não dera mais de meia dúzia de passos quando uma batida pesada o fez se virar. O corpo de Shukeli estava largado sem vida ao pé da grade.

— Sua tarefa estava concluída, e o inferno voltou a acolhê-lo — comentou Pelias com tranquilidade, educadamente fingindo não notar a forma violeta que o corpo poderoso de Conan estremeceu.

Ele seguiu na frente pela comprida escadaria e, no topo, passou pela porta encimada pelo crânio de metal. Conan empunhou a espada, esperando um ataque por parte dos escravos, mas o silêncio tomava conta da cidadela. Cruzaram o corredor negro e adentraram aquele onde os incensários balançavam no teto, espalhando seu inesgotável incenso. Ainda assim, não viram ninguém.

— Os soldados e os escravos ficam aquartelados em outra parte da cidadela — comentou Pelias. — Esta noite, com o mestre fora, com certeza dormem embriagados de vinho ou de suco de lótus.

Conan olhou através de uma dourada janela abobadada que dava para uma larga sacada e praguejou de surpresa ao se deparar com o céu azul escuro salpicado de estrelas. Fora jogado nos calabouços pouco após a alvorada, e já se passava da meia-noite. Mal percebera ter passado tanto tempo debaixo da terra. Subitamente, se deu conta da sede e do apetite voraz. Pelias liderou o caminho até uma câmara de cúpula de ouro, com pisos recobertos de prata e as paredes de lápis-lazúli perfuradas pelos arcos de várias portas.

Com um suspiro, Pelias se afundou em um divã de seda.

— Ouro e seda novamente — sussurrou. — Tsotha tenta passar a impressão de que está acima dos prazeres da carne, mas ele é metade demônio. Apesar da minha arte misteriosa, eu sou humano. Gosto de conforto e de um bom regozijo... na verdade, foi assim que Tsotha me aprisionou. Ele me pegou embriagado e indefeso. O vinho é uma maldição... pelos seios de marfim de Ishtar, nós falando sobre ele e aqui está o traidor! Amigo, por favor, me sirva uma taça... espere! Eu esqueci que é um rei. Eu nos servirei.

— Para o diabo com isso — rosnou Conan, enchendo uma taça de cristal, que passou para Pelias, em seguida ergueu a jarra e bebeu copiosamente da boca, fazendo eco ao suspiro de satisfação de Pelias. — O cão sabe o que é um bom vinho — afirmou Conan, enxugando os lábios com as costas da mão. — Mas, por Crom, Pelias, vamos ficar sentados aqui até os soldados dele acordarem e cortarem as nossas gargantas?

— Não tema — retrucou Pelias. — Gostaria de saber como anda a sorte de Strabonus?

Fogo azul ardeu nos olhos de Conan, e ele apertou o punho da espada até as falanges dos dedos ficarem azuladas.

— Ah, quem dera tê-lo na ponta da minha espada! — resmungou.

Pelias ergueu um grande globo brilhante de cima de uma mesa de ébano.

— O cristal de Tsotha. Um brinquedo infantil, porém útil, quando falta o tempo para ciências mais sofisticadas. Olhe nele, majestade.

Ele o depositou sobre a mesa, diante dos olhos de Conan. O rei fitou as profundezas nebulosas que se alargaram e se expandiram. Lentamente, das névoas e sombras, imagens se cristalizaram. Ele estava vendo uma paisagem familiar. Amplas planícies corriam para um rio largo e sinuoso, além do qual as terras planas subiam rapidamente para um labirinto de colinas baixas. Na margem norte do rio ficava uma cidade murada, protegida por um fosso conectado em ambas as extremidades ao rio.

— Por Crom! — exclamou Conan. — É Shamar! Os cães a estão sitiando!

Os invasores haviam cruzado o rio, seus pavilhões postados na planície estreita entre a cidade e as colinas. Seus guerreiros se apinhavam ao redor dos muros, com as armaduras reluzindo palidamente sob o luar. Flechas e pedras choviam sobre eles vindo das torres, e eles recuavam, contudo, sem parar de investir.

Mesmo enquanto Conan praguejava, a cena mudou. Torres altas e cúpulas reluzentes apareceram na névoa, e ele viu a capital de Tamar, onde reinava a confusão. Viu os cavaleiros de Poitain com armaduras de aço, os apoiadores mais fiéis de Conan, cavalgando para fora através dos portões, sendo vaiados pela multidão que se aglomerava nas ruas. Viu saques e violentos tumultos, e soldados, com escudos que traziam o brasão de Pellia, ocupando as torres e patrulhando os mercados. Acima de tudo, como uma miragem fantasmagórica, viu o maléfico rosto triunfante do príncipe Arpello de Pellia. As imagens desapareceram.

— Então! — rugiu Conan. — Meu povo se volta contra mim no instante em que viro as costas...

— Não exatamente — interrompeu Pelias. — Foram informados de que você está morto. Acham que não há ninguém para protegê-los de inimigos externos e nem de uma guerra civil. Naturalmente, se voltam para o nobre mais forte para evitar os horrores da anarquia. Lembrando guerras passadas, não confiam nos poitainianos. Mas Arpello está presente, e é um dos príncipes mais fortes das províncias centrais.

— Quando eu retornar para a Aquilônia, ele não passará de um cadáver decepado apodrecendo na Comuna dos Traidores — afirmou Conan com os dentes cerrados.

— No entanto, antes que você possa alcançar a capital, pode se ver diante de Strabonus — lembrou Pelias. — Pelo menos os cavaleiros dele estarão saqueando o seu reino.

— Verdade! — Conan andava de um lado para o outro no interior da câmara, como um leão enjaulado. — Com o mais veloz dos cavalos, eu não conseguiria alcançar Shamar antes do meio-dia. Mesmo lá, eu nada poderia fazer de útil, além de morrer com o povo quando a cidade cair, como ela, de fato, cairá, em, no máximo, alguns dias. De Shamar até Tamar é uma cavalgada de cinco dias, mesmo que eu mate os meus cavalos de exaustão na estrada. Antes que eu pudesse alcançar minha capital e reunir um exército, Strabonus já estaria martelando nos portões, afinal, reunir um exército não será fácil... pois todos os meus malditos nobres já terão debandado para os próprios feudos amaldiçoados ante a notícia da minha morte. E, como o povo expulsou Trocero de Poitain, não haverá ninguém para manter as mãos cobiçosas de Arpello longe da coroa... e do tesouro da coroa. Ele entregará o país para Strabonus, em troca de um trono de fachada... e assim que as costas de Strabonus estiverem viradas, ele fomentará uma revolta. Mas os nobres não o apoiarão, e isso apenas dará a Strabonus uma desculpa para abertamente anexar o reino. Ah, Crom, Ymir e Set! Se ao menos eu tivesse asas para voar como um raio até Tamar!

Pelias, que estava sentado tamborilando no tampo de mesa de jade com as unhas, subitamente interrompeu o movimento e se ergueu com um propósito definido, fazendo sinal para que Conan o seguisse. O rei obedeceu, perdido em pensamentos taciturnos, e Pelias liderou o caminho para fora da câmara e subiu um lance de uma escadaria de mármore com detalhes em ouro. Era noite, e uma ventania forte soprava no céu repleto de estrelas, agitando a juba negra de Conan. Muito abaixo deles piscavam as luzes de Khorshemish, aparentando estar mais longe do que as estrelas acima deles. Aqui, Pelias parecia distante e distraído, alguém em fria grandiosidade inumana com a companhia das estrelas.

— Existem criaturas que não são apenas do mar e da terra — disse Pelias —, mas também do ar e dos limites longínquos dos céus, vivendo afastadas, sem que os homens saibam. No entanto, para aquele que tem as palavras Mestras, e os Sinais e o Conhecimento por trás de tudo, elas não são malignas, nem inacessíveis. Observe e não tema.

Ele ergueu as mãos para os céus e proferiu um demorado e estranho chamado, que pareceu estremecer interminavelmente rumo ao céu, enfraquecendo e cessando, no entanto sem nunca morrer, apenas recuando cada vez mais para longe, até chegar a um cosmos desconhecido. No silêncio que se seguiu, Conan escutou um súbito bater de assas nas estrelas e recuou quando uma enorme criatura parecida com um morcego pousou ao seu lado. Ele viu os grandes olhos calmos o fitando sob a luz das estrelas, viu a extensão de doze metros das asas gigantescas. E viu que não era nem morcego nem pássaro.

— Monte e vá — disse Pelias. — A alvorada o verá em Tamar.

— Por Crom! — murmurou Conan. — Será tudo isso um pesadelo do qual em breve acordarei no meu palácio em Tamar? E quanto a você? Eu não vou deixá-lo sozinho em meio aos inimigos.

— Não se preocupe comigo — respondeu Pelias. — Quando a alvorada chegar, o povo de Khorshemish saberá que tem um novo mestre. Não duvide do que os deuses lhe enviaram. Eu o encontrarei na planície perto de Shamar.

Ainda repleto de dúvidas, Conan subiu nas costas enrugadas do monstro alado, agarrando o pescoço arqueado, ainda convencido de que tudo não passava de um pesadelo fantástico. Com grande pressa e o trovejar das asas titânicas, a criatura levantou voo, e o rei se sentiu tonto ao ver as luzes da cidade se apagando abaixo dele.

IV

A espada que mata o rei corta as cordas do império.

Provérbio aquiloniano

As ruas de Tamar estavam apinhadas de turbas uivantes, sacudindo os punhos e piques enferrujados. Era a hora antes da alvorada do segundo dia após a batalha de Shamu, e os eventos haviam ocorrido em uma velocidade vertiginosa. Por meios conhecidos apenas por Tsotha-lanti, a notícia da morte do rei chegara a Tamar em menos de meia dúzia de horas após a batalha. O resultado fora o caos. Os barões desertaram a capital real, indo embora galopando para proteger seus castelos contra os vizinhos saqueadores. O reino sólido que Conan construíra parecia estar oscilando na beirada do precipício da dissolução, e os cidadãos e os comerciantes tremiam na iminência do retorno do regime feudal. As pessoas clamavam por um rei que os protegesse contra a própria aristocracia como se fossem inimigos estrangeiros. O conde Trocero, deixado por Conan no comando da cidade, tentara tranquilizá-las, mas, em seu terror irracional, elas se lembravam das antigas guerras civis e como esse mesmo conde sitiara Tamar quinze anos antes. Gritos nas ruas acusaram Trocero de trair o rei, de planejar saquear a cidade. Os mercenários começaram a pilhar as residências, arrastando para fora delas comerciantes aos berros e mulheres apavoradas.

Trocero investiu contra os saqueadores, espalhando seus corpos pelas ruas, fazendo com que eles recuassem em confusão para dentro dos alojamentos, e prendeu seus líderes. Ainda assim, o povo permaneceu nas ruas, agitado, gritando que o conde incitara os tumultos para seus próprios propósitos.

O príncipe Arpello apareceu diante do conselho distraído e se anunciou pronto para assumir o governo da cidade até que um novo rei fosse escolhido, já que Conan não tinha herdeiros. Enquanto eles debatiam, seus agentes se espalhavam sorrateiramente por entre a população, ansiosa por qualquer um com um vestígio que fosse de nobreza. O conselho escutou a tempestade do lado de fora das janelas do palácio, onde uma multidão clamava por Arpello, o salvador. O conselho se rendeu.

Trocero a princípio se recusou a entregar o cetro de autoridade, mas a população se aglomerou ao redor do conde, vaiando e jogando pedras e restos de comida nos cavaleiros dele. Vendo a futilidade de uma batalha feroz nas ruas contra os homens de Arpello sob tais condições, Trocero atirou o cetro no rosto do rival, enforcou os líderes dos mercenários na praça do mercado como último ato oficial e deixou a cidade cavalgando através do portão sul da cidade, liderando seus mil e quinhentos cavaleiros em armaduras de aço. Os portões foram fechados atrás deles, e a máscara suave de Arpello caiu para revelar o semblante cruel do lobo faminto.

Com os mercenários mortos ou se escondendo nos alojamentos, os dele eram os únicos soldados em Tamar. Postando o cavalo de guerra na grande praça, Arpello se autoproclamou o rei de Aquilônia em meio ao clamor da multidão iludida.

Publius, o chanceler, que se opôs ao movimento, foi atirado na prisão. Os comerciantes, que haviam recebido com alivio a proclamação do rei, descobriam com consternação que o primeiro ato do monarca fora impor um pesado imposto a eles. Seis comerciantes abastados, enviados como uma delegação de protesto, foram detidos e tiveram suas cabeças decepadas sem a menor cerimônia. Um silêncio chocado e atordoado se seguiu à execução. Os comerciantes, confrontados por um poder que não podiam controlar com dinheiro, se jogaram sobre suas barrigas gordas para lamber as botas do opressor.

O povo comum não se incomodou com o destino dos mercadores, mas começou a murmurar ao descobrir que os pomposos soldados pellianos, fingindo manter a ordem, eram tão ruins quanto os bandidos turanianos. Queixas de extorsão, de assassinato e estupros chegaram aos montes até Arpello, que se alojara no palácio de Pubilus, pois os conselheiros desesperados, condenados por sua ordem, estavam defendendo o palácio real contra os soldados dele. Todavia, ele reivindicara posse do palácio do prazer, e as jovens mulheres de Conan foram arrastadas até os aposentos dele. As pessoas resmungaram ante a visão das beldades reais se contorcendo nas mãos brutais dos soldados em armaduras de ferro... damas de olhos escuros de Poitain, meretrizes esbeltas de cabelos negros de Zamora, Zíngara e Hirkânia, garotas britunianas com belos cabelos dourados, todas chorando de medo e vergonha, desacostumadas à brutalidade.

A noite recaiu sobre a cidade em choque e desordem, e antes da meia-noite a notícia se espalhou misteriosamente nas ruas que, após a vitória, os kothianos estavam atacando as muralhas de Shamar. Alguém no misterioso serviço secreto de Tsotha havia tagarelado. O medo abalou as pessoas como um terremoto, e elas sequer pararam para se perguntar com que feitiçaria as notícias haviam se espalhado tão rapidamente. Bateram na porta de Arpello, exigindo que ele marchasse rumo ao sul e rechaçasse o inimigo em Tybor. Ele poderia ter sutilmente salientado que suas forças eram insuficientes e que só conseguiria reunir um exército quando os barões reconhecessem seu direito à coroa. Mas estava embriagado de poder e riu na cara delas.

Um jovem estudante, Athemides, montou um púlpito no mercado e, com palavras ardentes, acusou Arpello de ser um instrumento de Strabonus, pintando uma imagem vívida da existência sob o governo kothiano, com Arpello como sátrapa.

Antes que ele tivesse terminado, a multidão estava gritando de medo e uivando de ira. Arpello enviou os soldados para prender o jovem, mas as pessoas o envolveram e fugiram com ele, atacando os soldados perseguidores com pedras e gatos mortos. Uma saraivada de setas de bestas dispersou a multidão, e uma companhia de cavaleiros cobriu as ruas do mercado com corpos, mas Athemides foi contrabandeado para fora da cidade, para suplicar a Trocero que retomasse Tamar e marchasse em auxílio de Shamar.

Athemides encontrou Trocero montando acampamento do lado de fora da muralha, pronto para marchar até Poitain, no extremo sudoeste do reino. Às súplicas urgentes do jovem ele respondeu que não tinha a força necessária para invadir Tamar, mesmo com o auxílio da multidão lá dentro, nem para enfrentar Strabonus. Além do mais, nobres ávidos saqueariam Poitain nas costas dele, enquanto estivesse enfrentando os kothianos. Com o rei morto, cada homem precisava proteger o que era seu. Estava cavalgando para Poitain para defendê-la o melhor que pudesse contra Arpello e seus aliados estrangeiros.

Enquanto Athemides argumentava com Trocero, a multidão ainda se rebelava com impotente fúria nas ruas da cidade. Aos pés da grande torre ao lado do palácio real, as pessoas se aglomeravam, gritando seu ódio por Arpello, que, postado na janela, ria delas, enquanto seus arqueiros, dos parapeitos, apontavam as bestas com os dedos nos gatilhos.

O príncipe de Pellia era um homem largo de estatura mediana, com um rosto severo e escuro. Gostava de intriga, mas também era um guerreiro. Abaixo do manto de seda, com a saia enfeitada e as mangas recortadas, reluzia aço escovado. Seus compridos cabelos escuros eram encaracolados e perfumados, e os usava presos para trás por uma tira de pano prateado, contudo no quadril pendia uma espada de lâmina larga, cujo punho cravejado de joias estava gasto de tantas batalhas e campanhas.

— Tolos! Uivem o quanto quiserem! Conan está morto, e Arpello é o rei!

E daí se toda a Aquilônia estivesse reunida contra ele? Tinha homens o suficiente para manter as poderosas muralhas sob seu controle até que Strabonus chegasse. Mas a Aquilônia estava dividida contra si mesma. Os barões já estavam fazendo preparativos para cada um deles se apossar do tesouro do vizinho. Arpello só precisava lidar com a multidão impotente. Strabonus abriria caminho por entre as fileiras dos barões em guerra com a facilidade de uma galé cortando as ondas, e, até que ele chegasse, Arpello só precisava manter a capital real.

— Tolos! Arpello é o rei!

O sol estava se erguendo por cima das torres orientais. Da alvorada carmesim veio uma partícula voadora que cresceu até se tornar um morcego, depois uma águia. Então, todos que a avistaram exclamaram de incredulidade, pois por cima das muralhas de Tamar sobrevoou uma criatura sussurrada apenas em lendas quase esquecidas, e de suas asas titânicas saltou uma figura humana, assim que passou pela grande torre. E então, com o ensurdecedor trovejar das asas, ela desapareceu, e as pessoas ao redor ficaram se perguntando se tudo não passara de um sonho. Todavia, na torre pequena estava postada uma selvagem figura bárbara, seminua, manchada de sangue, empunhando uma enorme espada. E da multidão veio um rugido que fez as torres estremecerem.

— O rei! É o rei!

Atônito, Arpello ficou paralisado. E então, com um grito, ele desembainhou a espada e saltou na direção de Conan. Com um rugido leonino, o cimério repeliu a lâmina assobiante e, largando a própria espada, agarrou o príncipe e o ergueu acima da cabeça.

— Leve as suas tramoias para o inferno com você! — rugiu e, como se fosse uma saca de sal, atirou o príncipe de Pellia longe, para cair de uma altura de quarenta e cinco metros.

O povo lá embaixo recuou quando viu o corpo vindo, e ele se espatifou na calçada de mármore, espalhando sangue e miolos para todos os lados, e ali ficou, esmigalhado na armadura estilhaçada, como um besouro destroçado.

Perdendo a coragem, os arqueiros na torre recuaram. Fugiram para longe, e os conselheiros sitiados deixaram o palácio e os perseguiram com alegre abandono. Os cavaleiros pellianos e os soldados buscaram segurança nas ruas, e a multidão os fez em pedaços. Nas ruas, os combates encrudesciam e turbilhonavam, elmos emplumados e capacetes de aço eram jogados entre as cabeças desgrenhadas, para depois desaparecerem. Espadas golpeavam loucamente em uma floresta de lanças, e, acima de tudo, se erguiam os rugidos da turba e os gritos de aclamação se misturavam com gritos de luxúria sanguinolentos e uivos de agonia. Enquanto isso, lá no alto, a figura nua do rei se balançava nas vertiginosas ameias, braços poderosos brandindo, rugindo com uma gargalhada estrondosa que zombava de todas as multidões, dos príncipes e até de si mesmo.

V

Um arco longo e um arco forte, e deixem que o céu escureça!
O cordão até o entalhe, a flecha na orelha, o rei de Koth que padeça!

Canção dos arqueiros bossonianos

O sol do meio da tarde reluziu nas águas plácidas de Tybor, banhando os baluartes meridionais de Shamar. Os defensores fatigados sabiam que muitos poucos deles veriam aquele sol nascer novamente. Os pavilhões dos sitiadores salpicavam a planície. Em desvantagem numérica como estava, o povo de Shamar não fora capaz de contestar com sucesso o cruzamento do rio. Barcaças acorrentadas umas às outras formaram uma ponte por sobre a qual os invasores despejavam as hordas. Strabonus não ousava marchar até a Aquilônia com Shamar não subjugada às costas. Ele enviara a cavalaria leve, com seus cavaleiros mais ligeiros, para saquear o interior do país, e erguera seu aparato de sitiar na planície. Ancorara a flotilha de barcos, fornecida a ele por Amalrus, no meio do rio, fazendo o papel de uma barreira. Alguns desses barcos foram afundados por pedras vindas das balistas da cidade, que atravessaram os conveses, rompendo o entabuamento, mas o resto permaneceu no lugar, e de suas proas e do topo dos mastros, protegidos atrás de escudos, arqueiros faziam suas flechas choverem por sobre as torres voltadas para o rio. Eram os semitas, nascidos com arcos nas mãos, e em muito superiores aos arqueiros aquilonianos.

Do lado oposto ao rio, catapultas lançavam pedras e troncos de árvores sobre os defensores, estilhaçando telhados e esmagando pessoas como se fossem besouros. Aríetes incessantemente martelavam os muros de pedra, e sapadores escavavam a terra como toupeiras, abrindo seus túneis embaixo das torres. O fosso fora represado em uma das extremidades, e, após lhe esvaziarem a água, preencheram-lhe com pedras, terra, e cavalos e homens mortos. Sob as muralhas, figuras armadas se aglomeravam, atacando os portões, erguendo escadas de madeira para escalar os muros até os parapeitos, os atacando com lanceiros.

A esperança fora abandonada na cidade, onde meros mil e quinhentos homens resistiam contra quarenta mil guerreiros. Nenhuma notícia viera do reino cuja cidade era um posto avançado. Os invasores gritavam com exultação que Conan estava morto. Apenas as muralhas resistentes e a coragem desesperadora dos defensores os mantiveram em xeque por tanto tempo, e não havia como isso durar para sempre. A muralha ocidental era uma massa de entulho sobre a qual os defensores cambaleavam em conflito corpo a corpo com os invasores. As muralhas externas estavam ruindo devido aos túneis que estavam sendo escavados por baixo delas, as torres se inclinavam como se embriagadas.

Naquele momento, os agressores estavam se preparando para a invasão. Os olifantes soaram, as fileiras de guerreiros armados se aproximaram pela planície. As torres de assalto, cobertas com couro de boi, se adiantaram. O povo de Shamar viu as flâmulas de Koth e Ophir balançando ao vento lado a lado, bem no centro, e conseguiu identificar, em meio aos cavaleiros reluzentes, a figura esbelta e letal de Amalrus, com sua armadura dourada, e a figura atarracada de armadura negra que era Strabonus. E entre os dois havia um vulto capaz de fazer o mais corajoso dos guerreiros empalidecer de pavor... uma figura sombria em um robe fino. Os lanceiros se adiantaram, fluindo por cima do solo como as brilhantes ondas de um rio de aço derretido, os cavaleiros trotando no centro, as lanças erguidas, os porta-estandartes correndo. Os guerreiros nas muralhas inspiraram fundo, confiando suas almas a Mitra, e seguraram com mais forças as armas manchadas de sangue.

Sem qualquer aviso, um toque de clarim ecoou acima da barulheira. Um tamborilar de cascos se elevou acima dos ruídos das hordas que se aproximavam. Ao norte da planície através da qual o exército avançava, se erguia uma concentração de colinas baixas, se estendendo para o norte e para o oeste como gigantescos degraus de escada. Descendo tais colinas, como espuma sendo varrida por uma tempestade, vinha a cavalaria ligeira que estivera saqueando o interior do país, cavalgando em um ritmo desenfreado, e, atrás dela, o sol reluzindo sobre fileiras e mais fileiras de aço em movimento. Deixando o desfiladeiro, eles aparecerem em toda a sua inteireza... cavaleiros de armadura, com a flâmula do grande leão da Aquilônia tremulando acima de suas cabeças.

Dos observadores eletrificados nas torres um poderoso grito reverberou pelos céus. Em êxtase, os guerreiros bateram as espadas castigadas nos escudos rachados, e as pessoas na cidade, de mendingos esfarrapados a comerciantes abastados, de meretrizes em saias vermelhas a damas em sedas e cetins, se jogaram de joelhos no chão, agradecendo à Mitra, lágrimas de gratidão escorrendo por suas faces.

Strabonus, freneticamente gritando ordens, junto com Arbanus, a fim de fazer com que as pesadas alas dessem meia-volta e enfrentassem a ameaça inesperada, falou:

— Ainda temos a superioridade numérica, a não ser que eles tenham reservas escondidas nas colinas. Os homens nas torres de assalto podem rechaçar qualquer surtida vindo da cidade. São poitainianos... Não é surpresa que Trocero tenha tentado uma galantaria tão enlouquecida.

Com incredulidade, Amalrus gritou:

— Eu vejo Trocero e o capitão Prospero... *mas quem cavalga entre os dois?*

— Ishtar nos proteja! — gritou Strabonus, empalidecendo. — É o rei Conan!

— Você está louco! — exclamou Tsotha, fitando a frente convulsivamente. — Há vários dias que Conan está na barriga de Satha!

Ele se interrompeu, olhando selvagemente para a horda que descia as colinas, fileira a fileira, ocupando a planície. Não havia como confundir a gigantesca figura de preto e armadura trabalhada montado em um grande garanhão negro, cavalgando sob grande flâmula tremulante. Um grito de fúria felina irrompeu dos lábios de Tsotha, salpicando baba em sua barba. Pela primeira vez na vida, Strabonus viu o feiticeiro completamente transtornado e se retraindo diante daquela visão.

— Há feitiçaria em ação aqui! — gritou Tsotha, nervosamente passando as unhas pela barba. — Como ele conseguiu escapar e alcançar o reino a tempo de retornar tão depressa à frente de um exército? Isso é obra de Pelias, maldito seja! Sinto a mão dele nisso! Maldito seja eu por não o haver matado quanto tive a chance!

Os reis ficaram atônitos ante a menção de um homem que acreditavam estar morto há dez anos, e o pânico irradiando de seus líderes sacudiu as legiões. Todos reconheceram o cavaleiro do garanhão negro. Tsotha pôde sentir o terror supersticioso de seus homens, e a fúria transformou seu rosto em uma máscara infernal.

— Ataquem! — gritou, agitando os braços magros desordenadamente no ar. — Ainda somos mais fortes! Ataquem e esmaguem os cães! Esta noite, banquetearemos nas ruínas de Shamar! Ah, Set! — Ele ergueu as mãos, invocando o deus serpente, para a surpresa até mesmo de Strabonus. — Nos conceda a vitória, e eu juro lhe oferecer até quinhentas virgens de Shamar, se contorcendo no próprio sangue!

Enquanto isso, a horda inimiga desembocara na planície. Acompanhando os cavaleiros viera o que parecia ser um segundo exército irregular montando velozes pôneis. Desmontando, esses soldados formaram fileiras a pé... impassíveis arqueiros bossonianos e hábeis lanceiros de Gunderlândia, com seus cabelos escuros se agitando ao vento, debaixo dos elmos de aço.

Era um exército heterogêneo que Conan havia reunido nas agitadas horas seguintes ao seu retorno à capital. Ele protegera os soldados de Pelias da turba selvagem em Tamar e os recrutara para lutar por ele. Enviara um cavaleiro veloz atrás de Trocero para trazê-lo de volta. Com esses guerreiros formando o núcleo do exército, correram rumo ao sul, ao longo do caminho acrescentando recrutas e montarias às fileiras. Nobres de Tamar e das províncias vizinhas engrossaram suas forças, e ele conseguira recrutas em cada aldeia e castelo ao longo do percurso. Embora fosse uma força quase insignificante que ele reunira para lidar com as hordas invasoras, ela era da qualidade do aço temperado.

Mil e novecentos cavaleiros armados o seguiram, em sua maioria cavaleiros poitainianos. Os remanescentes dos mercenários e soldados profissionais a serviço dos nobres leais formaram a infantaria... cinco mil arqueiros e quatro mil lanceiros. A horda já assumira a devida formação... primeiro os arqueiros, seguidos dos lanceiros, e atrás deles os cavaleiros... avançando em marcha.

Arbanus ordenou que as próprias fileiras os atacassem, e o exército aliado avançou como um oceano de aço. Os observadores das muralhas da cidade estremeceram ao ver aquela vasta horda, que eclipsava a força dos salvadores. Primeiro marcharam os arqueiros semitas, depois os lanceiros kothianos, e os cavaleiros de armadura de Strabonus e Amalrus traziam a retaguarda. As intenções de Arbanus eram óbvias... empregar os contingentes de soldados para varrer a infantaria de Conan, abrindo caminho para uma devastadora carga de sua cavalaria pesada.

Os semitas abriram fogo a quatrocentos e cinquenta metros de distância, e elas choveram sobre as legiões inimigas, ocultando o sol. Os arqueiros orientais, treinados em uma guerra milenar contra os selvagens pictos, avançaram impassivelmente, fechando suas fileiras à medida que os companheiros eram abatidos. Estavam em número muito menor, e os arcos semitas tinham alcance maior, porém os bossonianos se equiparavam aos inimigos em relação à precisão e compensavam a habilidade com o arco com superioridade do espírito e melhor qualidade de armadura. Quando chegaram ao alcance desejado, fizeram seus disparos, e fileiras e mais fileiras de semitas tombaram. Os guerreiros de barba preto-azulada, com suas cotas de malha leve, não eram capazes de aguentar tanto castigo quanto os bossonianos, com suas armaduras mais pesadas. Eles romperam a formação, largando os arcos, e sua fuga colocou em desordem as fileiras dos lanceiros kothianos, que vinham logo atrás deles.

Sem a cobertura dos arqueiros, os soldados tombaram a centenas diante das flechas dos bossonianos e, avançando cegamente para o combate corpo a corpo, deram de cara com os venábulos dos lanceiros. Nenhuma infantaria era páreo para os selvagens gunderlandeses, cuja terra natal, a província mais ao extremo norte da Aquilônia, ficava apenas um dia a cavalo da fronteira da Ciméria, e que, nascidos e criados para a batalha, entre todos os povos hiborianos eram os que tinham o sangue mais puro. Os lanceiros kothianos, aturdidos devido à ausência dos arqueiros, foram feitos em pedaços e recuaram em desordem.

Strabonus rugiu de fúria ao ver sua infantaria sendo repelida e pediu um ataque geral aos berros. Arbanus o ignorou, apontando para os bossonianos se reagrupando diante dos cavaleiros aquilonianos, que permaneceram imóveis em seus cavalos durante todo o combate. O general aconselhou uma retirada temporária, na esperança de atrair os cavaleiros inimigos para longe da cobertura dos arqueiros, mas Strabonus estava enlouquecido de fúria. Ele olhou para as compridas fileiras de seus cavaleiros, depois voltou o olhar para o punhado de vultos armados que se opunham a ele e ordenou que Arbanus desse o comando para atacar.

Confiando a alma a Ishtar, o general soprou o olifante dourado. Com um rugido trovejante, a floresta de lanças se inclinou para a frente, e a grande horda avançou pela planície, ganhando velocidade à medida que seguia em frente. A planície inteira pareceu tremer ante a avalanche de cascos, e o brilho do ouro e do aço ofuscou a visão dos observadores das torres de Shamar.

Os esquadrões ceifaram as fileiras desordenadas dos lanceiros, abatendo tanto amigo quanto inimigo, e correram rumo aos dentes de uma saraivada de flechas disparada pelos bossonianos. Inflexivelmente, cruzaram trovejando a grande planície, enfrentando a tempestade que espalhava em seu caminho cavaleiros reluzentes como as folhas do outono. Mais cem passos e estariam em cima dos arqueiros bossonianos, e poderiam ceifá-los como se fossem o milho da colheita, mas a carne e o sangue não eram capazes de suportar a chuva de morte que uivava e rasgava em meio às suas fileiras. Os arqueiros se enfileiraram ombro a ombro, com os pés bem afastados, puxando as flechas até as orelhas, as soltando todos juntos, com gritos breves e graves.

Toda a primeira ala dos cavaleiros tombou, seus companheiros tropeçaram por cima dos corpos alfinetados de cavalos e cavaleiros, caindo por terra. Arbanus foi abatido por uma flecha que lhe atravessou o pescoço, e seu crânio foi esmagado pelos cascos de seu cavalo de batalha mortalmente ferido. A confusão imperou em meio às legiões em desordem. Strabonus gritava uma ordem, Amalrus outra, e, em meio a tudo aquilo corria o medo sobrenatural que a visão de Conan despertara.

E, enquanto as alas reluzentes tentavam se reorganizar, as trombetas de Conan soaram, e através das fileiras de arqueiros que se abriram, avançou a terrível carga dos cavaleiros aquilonianos.

As legiões se chocaram com o impacto de um terremoto, que chegou a sacudir as torres de Shamar. Os desorganizados esquadrões de invasores não conseguiram resistir à força de aço sólido, repleta de lanças que atingiam o inimigo como raios. As lanças compridas dos atacantes fizeram em pedaços as fileiras dos invasores, e no coração da horda cavalgaram os cavaleiros de Poitain, girando com ambas as mãos as terríveis espadas.

O choque e o clangor do aço eram como aquele de um milhão de marretas em um número igual de bigornas. Os observadores nas muralhas ficaram atordoados e ensurdecidos devido ao som trovejante enquanto observavam, se agarrando aos parapeitos, o redemoinho de aço girar para lá e para cá. Plumas flutuavam pelo ar, e estandartes caíam e eram erguidos novamente.

Amalrus tombou, morrendo debaixo de cascos que pisoteavam, sua clavícula cortada ao meio pela espada de Prospero. Os números superiores dos invasores haviam envolvido os mil e novecentos cavaleiros de Conan, mas, ao redor da força compacta que se aprofundava cada vez mais na formação frouxa dos inimigos, os cavaleiros de Koth e Ophir atacavam e golpeavam em vão. Por mais que tentassem, não conseguiam romper a formação.

Os arqueiros e lanceiros, tendo despachado a infantaria kothiana, que estava em fuga desabalada pela planície, se posicionaram ao redor do combate, disparando as flechas com precisão letal, correndo para cortar cilhas e as barrigas dos cavalos com suas facas e empalando cavaleiros com as lanças compridas.

Na dianteira da formação de aço, Conan rugia seu grito de guerra pagão e girava a enorme espada em arcos reluzentes que dilaceravam elmos de aço e cotas de malha como se não fossem nada. Ele avançou implacavelmente por entre os inimigos, e os cavaleiros de Koth fecharam fileiras atrás dele, o separando de seus guerreiros. Com a potência de um raio, Conan atacou, abrindo passagem através das fileiras inimigas com pura força bruta e velocidade, até chegar a Strabonus, lívido em meio às suas tropas palacianas. Ali, a batalha pendeu na balança, pois, com seus números superiores, Strabonus ainda tinha a oportunidade de arrancar a vitória dos joelhos dos deuses.

Mas ele gritou quando viu o arqui-inimigo ao seu alcance e atacou com o machado de guerra. Este se chocou com o capacete de Conan, provocando faíscas, e o cimério girou, atacando de volta. A lâmina de um metro e meio esmagou o elmo e o crânio de Strabonus, e o cavalo do rei empinou, atirando para fora da sela o corpo sem vida. Um potente grito ecoou pela horda, que hesitou e recuou. Trocero e suas tropas, golpeando desesperadamente, abriram caminho até o lado de Conan, e a grande flâmula de Koth tombou. Afinal, por trás dos aturdidos e zonzos invasores, ecoou um poderoso alarido e as labaredas de uma enorme conflagração. Os defensores de Shamar haviam realizado uma surtida desesperada, massacrando os homens vigiando os portões, e estavam atacando as tendas dos sitiadores, ceifando seus ocupantes, incendiando os pavilhões e destruindo todo o maquinário do cerco. Foi a gota d'água. O exército reluzente bateu em retirada, sendo abatidos em plena fuga pelos furiosos conquistadores.

Os fugitivos correram para o rio, mas os homens da flotilha, assustados com as pedras e lanças atiradas pelos cidadãos revitalizados, levantaram âncora e zarparam para a margem sul, abandonando os companheiros ao próprio destino. Desses, muitos correram para a costa, passando por cima das barragens que serviram de ponte, até que os homens de Shamar cortaram as amarras, as deixando à deriva e interrompendo o acesso à costa. Nesse momento, a luta se transformou em um massacre. Empurrados rio abaixo para se afogar nas pesadas armaduras ou retalhados na margem, os invasores morreram aos milhares. Eles não prometeram clemência e, portanto, não receberam nenhuma.

Dos pés das colinas baixas até as margens de Tybor, as planícies estavam cobertas de corpos, e no rio que fluía avermelhado flutuavam milhares de corpos. Dos mil e novecentos cavaleiros que haviam cavalgado rumo ao sul com Conan, pouco menos de quinhentos sobreviveram para se vangloriar de suas cicatrizes, e a carnificina em meio aos arqueiros e lanceiros foi assustadora. Mas a grandiosa e reluzente horda de Strabonus e Amalrus foi varrida da face da terra, e o número dos que conseguiram escapar foi menor do que o dos que morreram.

Enquanto o massacre prosseguia ao longo do rio, o ato final do drama estava sendo conduzido na pradaria próxima. Entre aqueles que haviam conseguido cruzar a ponte das barragens antes que ela fosse destruída estava Tsotha, cavalgando como o vento em um cavalo de aparência estranha cuja marcha nenhum cavalo natural seria capaz de igualar. Implacavelmente passando por cima de amigo e inimigo, ele alcançou a margem sul, onde um olhar para trás revelou uma figura inflexível montada em um garanhão negro em seu encalço. As amarras já haviam sido cortadas, e as barragens estavam se afastando, mas Conan persistia na caçada, saltando com a montaria de barco para barco como um homem saltando de uma massa de gelo flutuante para outra. Tsotha praguejou aos gritos, mas, com um gemido de esforço, o grande garanhão deu um último salto, alcançando a margem ao sul. Dali o feiticeiro fugiu para a pradaria vazia, com o rei cavalgando a toda, agitando no ar a grande espada que espalhava gotas de sangue pela trilha.

E assim eles prosseguiram, a caça e o caçador, e o garanhão negro não ganhava meio metro que fosse, embora Conan estivesse claramente exigindo o máximo de seus músculos. Correram por uma terra sob o pôr do sol de sombras difusas, até a visão e os sons do massacre ficarem para trás. Então no céu apareceu um ponto que cresceu até se transformar em uma enorme águia quando se aproximou. Descendo dos céus, ela mergulhou na direção da cabeça da montaria de Tsotha, que, com um relincho agudo, empinou, derrubando o cavaleiro.

O velho Tsotha se levantou e se virou na direção do perseguidor, seus olhos como os de uma serpente enlouquecida, seu rosto uma máscara inumana. Em cada uma das mãos segurava algo que reluzia vagamente, e Conan sabia que ali ele segurava a morte.

O rei desmontou e marchou na direção do inimigo, sua armadura retinindo, a grande espada empunhada no ar.

— Mais uma vez nos encontramos, feiticeiro! — Ele sorriu selvagemente.

— Para trás! — gritou Tsotha, como um chacal enlouquecido. — Eu arrancarei a carne dos seus ossos! Você não conseguirá me derrotar... se me cortar em pedacinhos, os pedaços de carne e osso irão se reunir e o assombrarão até a morte! Enxergo a mão de Pelias nisso, mas desafio a ambos! Eu sou Tsotha, filho de...

Conan avançou correndo, a espada reluzindo, os olhos estreitados de desconfiança. A mão direita de Tsotha recuou e se adiantou, e o rei agilmente se esquivou. Algo passou perto da cabeça protegida pelo elmo e explodiu atrás dele, queimando as areias com labaredas de fogo do inferno. Antes que Tsotha pudesse arremessar o globo que segurava na mão esquerda, a espada de Conan cortou através do pescoço magro. A cabeça do feiticeiro pulou de seus ombros com um jorro arqueado de sangue, e a figura de robe cambaleou e tombou como que embriagado. No entanto, os enlouquecidos olhos negros continuaram a fitar Conan sem qualquer alteração na luz feroz, os lábios se retorceram terrivelmente, e as mãos tatearam desordenadamente, como se procurassem a cabeça decepada. Então, com um bater veloz de asas, algo desceu dos céus... a águia que atacara o cavalo de Tsotha. Com suas garras poderosas, ela pegou a cabeça gotejando sangue e levantou voo, deixando para trás um atônito Conan, pois, da garganta da águia, escapara uma retumbante gargalhada humana na voz de Pelias, o feiticeiro.

Foi então que algo terrível aconteceu, pois o corpo decepado se levantou da areia e saiu cambaleando para longe, fugindo em pernas pouco firmes, com as mãos cegamente estendidas na direção do ponto que rapidamente desaparecia no céu do crepúsculo. Conan ficou parado ali como se tivesse sido transformado em pedra, observando até que a figura em fuga desaparecesse no crepúsculo que pintava a pradaria de roxo.

— Crom! — Seus ombros poderosos estremeceram. — Quero distância dessas rixas de feiticeiros! Pelias me foi de grande ajuda, mas eu não me importarei se jamais voltar a ver esse diabo. Me dê uma espada afiada e um inimigo de carne e osso para eu ceifar. Maldição! O que eu não daria por uma jarra de vinho!

Howard escreveu as aventuras de "A torre do elefante" durante o verão de 1932. Nesse momento ainda trabalhava na finalização da Era Hiboriana. Todavia a história seria somente publicada pela *Weird Tales* no ano seguinte, em março de 1933. Conan se aventurará em busca de uma preciosa gema mágica, travando incríveis batalhas com feiticeiros e criaturas monstruosas pelo caminho.

A TORRE DO ELEFANTE

I

Tochas tremeluziam obscuramente nas folias na Marreta, onde ladrões do oriente celebravam o carnaval à noite. Na Marreta, eles podiam fazer quanta algazarra e gritaria quisessem, pois as pessoas honestas evitavam a vizinhança, e os guardas, bem remunerados com dinheiro sujo, não interferiam na diversão deles. Ao longo das ruas tortuosas e sem pavimentação, com pilhas de lixo e poças lamacentas, cambaleavam e vociferavam os briguentos embriagados. O aço reluzia nas sombras de onde vinham o riso estridente das mulheres e os ruídos de arruaça e brigas. A luz das tochas flamejava tênue das janelas quebradas, e das portas escancaradas vinha o mau cheiro do vinho azedo e de corpos suados, o clamor de bêbados, o bater de punhos sobre mesas grosseiras e animadas canções obscenas, lançadas como uma bofetada.

Numa dessas espeluncas, a diversão trovejava até o teto baixo manchado pela fumaça, onde os vagabundos se reuniram vestidos com toda espécie de farrapos... eram batedores de carteira, astutos sequestradores, ladrões de dedos ligeiros, vociferando exclamações animadas com suas meretrizes de vozes estridentes, vestidas de maneira suntuosa, mas de gosto duvidoso. Os que dominavam eram os vagabundos do lugar... zamorianos de pele e olhos escuros, com sabres nos cintos e fel nos corações. Mas lá estavam também lobos de meia dúzia das nações fronteiriças. Havia um gigantesco renegado hiperboreano, taciturno, perigoso, com uma espada de lâmina larga presa ao seu assombroso corpanzil, afinal os homens abertamente portavam aço na Marreta. Havia o contraventor semita, com seu nariz adunco e uma barba crespa de um preto azulado. Havia a meretriz brituniana de olhos ousados, sentada no colo de um gunderlandês de cabelos castanhos... um soldado mercenário nômade de algum exército derrotado. E o gordo indecente cujas piadas picantes provocavam gargalhadas era um sequestrador profissional vindo da longínqua Koth para ensinar como raptar mulheres para os zamorianos, que já nasceram com mais conhecimento nessa arte do que ele jamais poderia obter.

Tal homem interrompeu sua descrição dos encantos de uma futura vítima e mergulhou a cara em uma enorme caneca de cerveja espumante. Em seguida, soprando a espuma dos lábios gordos, falou:

— Por Bel, deus de todos os ladrões. Eu mostrarei a eles como raptar mulheres bonitas. Eu a terei do outro lado da fronteira zamoriana antes mesmo da alvorada, e haverá uma caravana aguardando para recebê-la. Trezentas moedas de prata, foi isso que um conde de Ophir me prometeu por uma brituniana jovem e esbelta de boa classe. Fiquei perambulando pelas ruas das cidades fronteiriças por semanas como um mendigo até encontrar uma adequada. E ela é uma bela bagagem! — Ele lançou um beijo babado no ar. — Conheço nobres em Sem que trocariam os segredos da Torre do Elefante por ela — prosseguiu, retornando para a cerveja.

Um toque na manga da túnica o fez virar a cabeça, amarrando a cara ante a interrupção. Viu ao seu lado um jovem alto e forte. A pessoa se destacava tanto naquele lugar quanto um lobo cinzento se destacaria em meio a um grupo de ratos de esgoto sarnentos. A túnica barata não conseguia disfarçar as linhas duras bem acentuadas de seu poderoso corpanzil, os ombros largos, o peitoral maciço, a cintura esbelta e os braços musculosos. A pele estava tostada pelo sol dos campos, seus olhos eram azuis e intensos, e uma negra cabeleira desgrenhada coroava a fronte larga. Da cintura pendia uma espada em uma bainha de couro desbotado.

O kothiano involuntariamente se retraiu, pois o homem não pertencia a nenhuma raça civilizada conhecida por ele.

— Você mencionou a Torre do Elefante — disse o desconhecido, falando zamoriano com um sotaque estrangeiro. — Já ouvi muitas histórias sobre a torre. Qual é o seu segredo?

O sujeito não parecia ameaçador, e a cerveja e a evidente aprovação do público deixaram o kothiano cheio de coragem.

— O segredo da Torre do Elefante? — inquiriu. — Ora, qualquer idiota sabe que Yara, o sacerdote, mora lá com uma grande pedra preciosa chamada o Coração do Elefante, que é o segredo da sua magia.

O bárbaro ficou digerindo a informação por algum tempo.

— Eu já vi essa torre — falou. — Fica no meio de um grande jardim, a um nível acima da cidade, cercada por muros altos. Não vi nenhum guarda. Seria fácil pular o muro. Por que ninguém nunca roubou essa joia?

O kothiano arregalou os olhos e ficou boquiaberto ante a simplicidade do outro, depois irrompeu em uma gargalhada zombeteira, acompanhado por outros.

— Ouçam só esse pagão! — berrou o homem gordo. — Ele quer roubar a joia de Yara! Ouça, companheiro — falou, se virando solenemente para o jovem. — Eu suponho que seja algum tipo de bárbaro do norte...

— Eu sou cimério — respondeu o forasteiro, em um tom nada amigável.

A resposta e a maneira como foi dada não significou muito para o kothiano. Vindo de um reino que ficava bem mais ao sul, na fronteira com Sem, ele apenas conhecia as raças do norte vagamente.

— Nesse caso, me escute e aprenda alguma sabedoria, meu amigo — falou, apontando a caneca para o jovem confuso. — Saiba que, em Zamora, e especialmente nesta cidade, existem mais ladrões ousados do que em qualquer outro lugar do mundo, até mesmo em Koth. Se algum homem mortal pudesse ter roubado a joia, pode apostar que ela já teria sido surrupiada há muito tempo. Você fala em escalar os muros, porém, uma vez que tiver escalado, você logo se verá desejando estar de volta do outro lado. Não há guardas nos jardins durante a noite por um bom motivo... quero dizer, nenhum guarda humano. Contudo, na câmara de vigilância, na parte inferior da torre, existem homens armados, e, mesmo que conseguisse passar por aqueles que rondam os jardins durante as noites, ainda teria que passar pelos soldados, pois a joia fica em algum lugar da torre acima.

— Mas, se um homem conseguisse passar pelos jardins — argumentou Conan —, por que ele não poderia chegar à joia pela parte superior da torre, evitando assim os soldados?

Mais uma vez, o kothiano o fitou boquiaberto.

— Escutem só ele! — berrou zombeteiramente. — O bárbaro é uma águia capaz de voar até a beirada da torre, que fica apenas a quarenta e cinco metros do chão, com suas paredes arredondadas mais lisas do que vidro polido!

O cimério olhou ao redor, constrangido ante o rugido das gargalhadas zombeteiras que responderam ao comentário. Não conseguiu enxergar a menor graça nele e era novo demais naquela civilização para entender a falta de cortesia costumeira. Homens civilizados são mais descorteses do que os bárbaros, pois, de um modo geral, sabem que podem ser impolidos sem ter seus crânios esmagados. Ele estava embaraçado e envergonhado e sem dúvida teria dado meia volta e ido embora, se sentindo humilhado, mas o kothiano quis continuar a rebaixá-lo.

— Vamos, vamos! — gritou o gordo. — Conte para esses pobres coitados, que há muito são ladrões, desde antes mesmo de você nascer, diga para eles como você pretende roubar a joia!

— Existe sempre uma maneira, contanto que a vontade esteja associada à coragem — respondeu o cimério de modo abrupto, irritado.

O kothiano resolveu tomar isso como ofensa pessoal. Seu rosto ficou roxo de raiva.

— O quê? — rosnou. — Você ousa querer nos dizer como devemos proceder e insinua que somos covardes? Suma da minha frente!

E empurrou o cimério com violência.

— Você me caçoa, e depois ainda encosta as mãos em mim? — enfureceu-se o bárbaro, pronto para dar vazão à fúria, e retribuiu o empurrão com um safanão que lançou o ofensor de encontro à mesa tosca.

A cerveja espirrou da boca do tratante, e, rugindo de fúria, o kothiano tratou de desembainhar a espada.

— Cão do inferno! — vociferou. — Vou arrancar o seu coração por isso!

O aço faiscou, e a multidão tratou de recuar para não ficar no caminho. Na fuga desesperada, a única vela foi derrubada, e a taverna foi mergulhada na escuridão. Só se ouvia o barulho de bancos sendo derrubados no chão, o trotar de pés em fuga, gritos, as pragas proferidas quando um esbarrava no outro, e um único berro de agonia que cortou como uma faca a barulheira generalizada. Quando acenderam uma vela, a maioria dos fregueses havia desaparecido pela porta e pelas janelas quebradas, e o resto se escondia debaixo das mesas ou atrás das pilhas de barris de vinho. O bárbaro se fora, e no centro do recinto havia apenas o corpo ensanguentado do kothiano. O cimério, com seu infalível instinto selvagem, matara o oponente em meio à escuridão e confusão.

II

As luzes lúgubres e a folia embriagada ficaram para trás. Conan tinha descartado a túnica rasgada e caminhava seminu pela noite, vestindo apenas a tanga e as sandálias de tiras altas. Ele se movia com a agilidade de um grande tigre, os músculos de aço retesados sob a pele bronzeada.

Havia adentrado a parte da cidade reservada para os templos. De todos os lados ao seu redor a brancura deles reluzia à luz das estrelas... pilares de mármore branco e domos dourados e arcos prateados, santuários dos inúmeros e estranhos deuses zamorianos. Não perdeu tempo se preocupando com eles. Sabia que a religião de Zamora, assim como todas as coisas de um povo civilizado que fora estabelecido muito tempo antes, eram complicadas e complexas, e que perdera a maior parte da essência primordial em um labirinto de fórmulas e rituais. Passara horas agachado no pátio dos filósofos, escutando as discussões dos teólogos e dos professores, e saiu dali em um labirinto de confusão, tendo certeza de apenas uma coisa, e isso era que nenhum deles era muito bom da cabeça.

Seus deuses eram simples e de fácil compreensão. Crom era o chefe e morava no topo de uma grande montanha, de onde concedia morte e ruína. Era inútil suplicar para Crom, pois se tratava de um deus taciturno e selvagem que odiava fraqueza. Mas ele dava coragem para um homem quando este nascia, além da vontade e da força para matar os inimigos, que, na cabeça do cimério, era tudo que se podia esperar de qualquer deus.

As sandálias que calçava não faziam qualquer som na calçada reluzente. Nenhum guarda passou, afinal até mesmo os ladrões da Marreta evitavam os templos, onde estranhas perdições recaíam naqueles que os violavam. Mais adiante podia ver,

A TORRE DO ELEFANTE

se estendendo para o céu, a Torre do Elefante. Tentou imaginar por que ela teria esse nome. Ninguém parecia saber ao certo. Ele jamais vira um elefante, contudo entendia ser um animal monstruoso, com uma cauda na frente, assim como atrás. Um nômade semita lhe contara isso, jurando que vira centenas de tais bestas no país dos hirkanianos, mas todo mundo sabia que os homens de Sem não passavam de mentirosos. De qualquer forma, não havia elefantes em Zamora.

A coluna reluzente da torre se erguia geladamente até as estrelas. Sob a luz do sol brilhava de forma tão estonteante que poucos conseguiam suportar seu resplendor, e os homens diziam que era feita de prata. Era um perfeito cilindro redondo de quarenta e cinco metros de altura e com uma borda que reluzia sob a luz das estrelas devido às enormes joias incrustadas nela. A torre se erguia em meio às oscilantes árvores exóticas de um jardim que já ficava em um nível superior ao da cidade em geral. Um muro alto envolvia o jardim, e do outro lado do muro havia um nível inferior, igualmente cercado por um muro. Nenhuma luz vinha de lá de dentro, não parecia haver janelas na torre... pelo menos, não acima do nível da parede interna. Apenas as pedras preciosas lá no alto reluziam gelidamente sob a luz das estrelas.

Arbustos cresciam espessos do lado de fora do muro externo. O cimério se aproximou e se postou ao lado da barreira, a avaliando com os olhos. O muro era alto, todavia era possível saltar e alcançar o topo com os dedos. Depois, seria brincadeira de criança se alçar e passar por sobre o muro, e o bárbaro não tinha dúvidas de que seria capaz de transpor a barreira interna da mesma maneira. Mas hesitou ante a ideia dos estranhos perigos que, segundo diziam, o aguardavam lá dentro. Tais pessoas eram estranhas e misteriosas para ele. Não eram de sua raça... nem sequer do mesmo sangue, como os mais orientais britunianos, nemedianos, kothianos e aquilonianos, cujos mistérios civilizados o assombraram em tempos passados. O povo de Zamora era muito antigo, e, pelo que ele pudera observar, muito maligno.

O cimério pensou em Yara, o sumo-sacerdote, que planejava estranhas perdições daquela torre incrustada de joias, e sentiu um calafrio lhe percorrer o corpo ao se lembrar da história contada por um pajem embriagado da corte... de como Yara rira na cara de um príncipe hostil e erguera uma joia reluzente diante dele, e de como raios dispararam cegamente da gema profana e envolveram o príncipe, que gritou e tombou no chão, encolhendo até virar uma murcha massa escurecida que se transformou em uma aranha negra, a qual correu sem rumo pela câmara até Yara a esmagar sob o calcanhar.

Yara não saia com frequência da torre de magia e, quando o fazia, era sempre para fazer mal a algum homem ou nação. O rei de Zamora o temia mais do que temia a morte e se mantinha embriagado o tempo todo, pois tal medo era maior do que ele conseguia suportar sóbrio. Yara era muito velho, tinha séculos de idade, diziam, e além disso poderia viver para sempre por causa da magia da joia, que os homens chamavam de Coração do Elefante, por nenhuma razão melhor do que chamavam sua fortaleza de Torre do Elefante.

O cimério, perdido nesses pensamentos, se colou rapidamente ao muro. Alguém estava passando no interior do jardim, caminhando com passos deliberados. Ele escutou o tinido do aço. Então, no fim das contas, realmente havia guardas fazendo a ronda nos jardins. O cimério aguardou, esperando escutar o homem passando novamente na próxima volta, mas o silêncio imperou no misterioso jardim.

Por fim, a curiosidade levou a melhor sobre ele. Saltando ligeiramente, agarrou o muro e se alçou até o topo com apenas um dos braços. Deitando-se no topo chato, ele examinou com os olhos atentos o espaço largo entre os dois muros. Nenhum arbusto crescia ali perto, embora pudesse avistar algumas plantas cuidadosamente aparadas próximas ao muro interno. A luz das estrelas iluminava o gramado uniforme, e em algum lugar podia se escutar um chafariz.

O cimério cautelosamente desceu do muro e desembainhou a espada, olhando ao redor. Estava nervoso por estar parado ali, desprotegido, sob a luz das estrelas, e se moveu lentamente ao longo da curvatura do muro, fazendo o melhor uso possível das sombras, até se ver na altura do arbusto que avistara. Em seguida, correu rapidamente até ele, agachado, e quase tropeçou em uma forma amarrotada próxima do arbusto.

Uma rápida olhada para a direita e para a esquerda não lhe revelou nenhum inimigo à vista, e ele se curvou para o chão para investigar. Mesmo sob a luz fraca das estrelas, sua visão aguçada lhe mostrou um homem forte na armadura prateada e elmo emplumado da guarda real zamoriana. Um escudo e uma lança estavam largados ao seu lado, e bastou um exame momentâneo para ver que ele fora estrangulado. Inquietamente, o bárbaro olhou ao redor. Sabia que aquele homem devia ter sido o guarda que ele escutou passar do esconderijo próximo ao muro. Apenas pouco tempo se passara, no entanto, nesse intervalo, mãos desconhecidas haviam saído da escuridão para estrangular o soldado, lhe tirando a vida.

Forçando os olhos na escuridão, notou um ligeiro movimento através dos arbustos próximos ao muro. Empunhando a espada, ele deslizou naquela direção. Fez tanto barulho quanto uma pantera se esgueirando pela noite, porém o homem que estava espreitando o escutou. O cimério avistou um enorme vulto indistinto próximo ao muro e se sentiu aliviado de constatar que, ao menos, ele era humano. Logo em seguida, o sujeito se virou rapidamente com uma exclamação que pareceu ser de pânico, e com as mãos estendidas, dando a impressão de que iria saltar sobre Conan. Todavia recuou quando a lâmina da espada do cimério refletiu sob a luz das estrelas. Por um instante, nenhum dos dois falou nada, mas pareciam prontos para qualquer coisa.

— Você não é um soldado — sibilou o estranho afinal. — É um ladrão, como eu.

— E quem é você? — perguntou o cimério com um sussurro desconfiado.

— Taurus de Nemédia.

O cimério abaixou a espada.

— Já ouvi falar de você. Os homens o chamam de príncipe dos ladrões.

Sua resposta foi uma risada baixinha. Taurus era tão alto quanto o cimério, e mais pesado. Era gordo e barrigudo, mas cada movimento seu sugeria um sutil magnetismo dinâmico, que encontrava reflexo nos olhos atentos que reluziam com vitalidade, mesmo sob a luz das estrelas. Estava descalço e trazia consigo um rolo do que parecia ser uma corda fina e forte, com nós em intervalos regulares.

— Quem é você? — sussurrou.

— Conan, um cimério — respondeu o outro. — Vim aqui para tentar achar uma maneira de roubar a joia de Yara, que os homens chamam de o Coração do Elefante.

Conan pressentiu a enorme barriga do homem sacudindo com o riso, mas este não era de zombaria.

— Por Bel, deus dos ladrões! — sibilou Taurus. — Achei que só eu tinha a coragem para tentar tal roubo. E esses zamorianos ousam se chamar de ladrões... bah! Conan, gosto da sua bravura. Nunca compartilhei uma aventura com ninguém, mas, por Bel, se quiser, podemos tentar isso juntos.

— Então também está atrás da joia?

— E do que mais? Tenho meus planos preparados há meses, mas você, eu acho, age de impulso súbito, meu amigo.

— Você matou o soldado?

— É claro. Eu deslizei por cima do muro quando ele estava do outro lado do jardim. Me escondi nos arbustos, ele me escutou, ou pensou ter escutado algo. Quando se aproximou desajeitadamente, não foi difícil me posicionar atrás dele, agarrar o pescoço do tolo e o estrangular. Era como a maioria dos homens, quase cego no escuro. Um bom ladrão precisa ter olhos como os de um gato.

— Você cometeu um erro — afirmou Conan.

Os olhos de Taurus brilharam zangadamente.

— Eu? Um erro? Impossível!

— Deveria ter arrastado o corpo para dentro dos arbustos.

— Disse o principiante para o mestre da arte. Eles só trocarão a guarda depois da meia-noite. Se alguém vier procurando por ele agora e encontrar o corpo, irá correndo alertar Yara, soando o alarme, o que nos daria tempo para escapar. Se não o encontrarem, continuariam procurando e poderiam nos pegar como ratos na ratoeira.

— Tem razão! — admitiu Conan.

— Então, preste atenção, agora. Estamos perdendo tempo com essa maldita discussão. Não há guardas no jardim interno... guardas humanos, eu quero dizer, embora haja sentinelas ainda mais letais. Foi a presença delas que me frustrou durante tanto tempo, mas eu finalmente encontrei uma maneira de as evitar.

— E quanto aos soldados na parte inferior da torre?

— O velho Yara mora nas câmaras acima. É por lá que vamos ir... e voltar, eu espero. Não adianta me perguntar como. Eu arrumei um jeito. Nós desceremos pelo topo da torre e estrangularemos o velho Yara antes que ele possa lançar qualquer um dos seus malditos feitiços contra nós. Pelo menos, vamos tentar. Toda a riqueza e poder no mundo pelo risco de ser transformado em uma aranha ou um sapo. Todos os bons ladrões devem saber como correr riscos.

— Eu irei tão longe quanto qualquer outro homem — disse Conan, retirando as sandálias.

— Nesse caso, me siga.

E, se virando, Taurus deu um salto, agarrando a beirada do muro, e se alçou para cima dele. A agilidade do homem era impressionante, considerando seu tamanho. Ele pareceu quase deslizar por sobre o topo do muro. Conan tratou de o seguir, e, deitados no topo do muro, conversaram aos sussurros.

— Não vejo nenhuma luz — murmurou Conan.

A parte inferior da torre era muito parecida com a parte dela que podia ser vista de fora do jardim... um perfeito cilindro reluzente, sem qualquer abertura aparente.

— Existem portas e janelas inteligentemente construídas — respondeu Taurus —, mas elas estão fechadas. O ar que os soldados respiram vem de cima.

O jardim era uma indistinta piscina de sombras, onde arbustos folhosos e árvores baixas oscilavam sombriamente sob a luz das estrelas. A alma desconfiada de Conan sentia a aura de iminente ameaça que pairava sobre ele. Sentia o mirar ardente de olhos invisíveis e também sentiu um odor sutil que instintivamente lhe arrepiou os cabelinhos da nuca, como um cão de caça se arrepiava diante do cheiro de um antigo inimigo.

— Me siga — sussurrou Taurus. — Fique atrás de mim, se dá valor à própria vida.

Pegando da cinta o que parecia ser um tubo de cobre, o nemediano deslizou silenciosamente para o gramado no interior do muro. Conan foi logo atrás dele, com a espada de prontidão, mas Taurus o empurrou para trás, para perto do muro, e não deu indício de que ele mesmo ia avançar. Toda a sua postura era de tensa expectativa, e seu olhar, como o de Conan, estava fixo na massa sombria de arbustos a poucos metros de distância. O arbusto se sacudiu, embora a brisa houvesse cessado. Dois grandes olhos reluziram nas sombras, e, atrás deles, outras centelhas arderam na escuridão.

— Leões! — murmurou Conan.

— Pois é. Durante o dia, são mantidos em cavernas subterrâneas embaixo da torre. Por isso que não há guardas neste jardim.

Conan rapidamente contou os olhos.

— Cinco à vista, talvez mais nos arbustos. Eles vão avançar a qualquer momento...

— Silêncio! — sibilou Taurus e se afastou do muro, se movendo com cautela, como se pisando em navalhas, enquanto erguia o tubo fino.

Um rosnar baixinho veio das sombras, e os olhos flamejantes se adiantaram. Conan podia pressentir as enormes mandíbulas salivantes, as caudas com os tufos chicoteando os lombos amarronzados. A tensão era palpável no ar. O cimério apertou com força o punho da espada, esperando o ataque e o avanço insuperável dos enormes corpos. Então Taurus levou aos lábios a boca do tubo e soprou poderosamente. Um longo jato de um pó amarelado foi disparado da outra extremidade do tubo, se transformando na mesma hora em uma densa nuvem verde amarelada que desceu sobre o arbusto, encobrindo os olhos chamejantes.

Taurus correu de volta para junto do muro. Conan ficou olhando sem entender. A nuvem espessa escondeu o arbusto, e nenhum som veio dele.

— O que é essa névoa? — perguntou o cimério inquietamente.

— Morte! — sibilou o nemediano. — Se bater um vento que a sopre de volta para nós, teremos que fugir pulando o muro. Mas, não, o vento ainda está parado, e ela agora está se dissipando. Espere até que tenha desaparecido por completo. Respirar essa névoa significa morte.

Por fim, apenas partículas amareladas ficaram pairando fantasmagoricamente no ar. Quando elas desapareceram, Taurus fez sinal para que o companheiro avançasse. Eles se esgueiraram até os arbustos, e Conan exclamou de surpresa. Estiradas nas sombras estavam cinco formas amarronzadas enormes, as chamas nos olhos ferozes apagadas para sempre. Um aroma doce e nauseante pairava no ar.

— Morreram sem emitir nem um som! — murmurou o cimério. — Taurus, que pó era aquele?

— Foi feito da lótus negra, cujas flores crescem nas selvas perdidas de Khitai, habitadas apenas pelos sacerdotes de crânios amarelos de Yun. Aquelas flores matam qualquer um que as cheire.

Conan se ajoelhou ao lado dos grandes animais, se certificando de que, de fato, não estavam mais em condições de lhes fazer qualquer mal. Ele sacudiu a cabeça. A magia das terras exóticas era misteriosa e terrível para os bárbaros do norte.

— Por que não mata os soldados na torre da mesma maneira? — perguntou.

— Porque esse era todo o pó que eu tinha. E obtê-lo foi uma façanha que, por si só, já foi o suficiente para me tornar famoso entre os ladrões do mundo. Eu o roubei de uma caravana que seguia para Estígia, e eu o tirei, em sua bolsa de tecido dourado, dos anéis da grande serpente que o guardava, sem a acordar. Mas, em nome de Bel, venha! Vamos perder a noite toda conversando?

Eles deslizaram pelos arbustos até o reluzente pé da torre, e ali, com silenciosos movimentos, Taurus desenrolou a corda com os nós, na ponta da qual estava um forte gancho de metal. Conan entendeu o plano e não fez perguntas quando o nemediano segurou a corda um pouco abaixo do gancho e começou a girá-la acima da cabeça. Conan encostou o ouvido à parede lisa e ficou escutando, mas não ouviu nada. Era evidente que os soldados no interior da torre não suspeitavam da presença de intrusos, que faziam menos barulho do que o vento noturno ao passar pelas árvores. Mas um estranho nervosismo incomodava o bárbaro, talvez resultado do cheiro de leão que imperava no local.

Taurus atirou a corda com um movimento fluido do poderoso braço. O gancho se projetou para cima e para dentro de uma maneira peculiar, difícil de descrever, desaparecendo por sobre a beirada cravejada de joias. Ele aparentemente agarrou firmemente, pois puxões cautelosos, seguidos de outros mais violentos, não resultou em qualquer deslize ou folga.

— Sorte na primeira tentativa — murmurou Taurus. — Eu...

Foi o instinto selvagem de Conan que o fez se virar subitamente, pois a morte que estava sobre eles não fez qualquer som. Um olhar rápido revelou para o cimério o gigantesco vulto amarronzado, se empertigando com as estrelas ao fundo, saltando sobre ele para o ataque fatal. Nenhum homem civilizado poderia ter se movido com a velocidade do bárbaro. Sua espada reluziu geladamente sob a luz das estrelas, com toda a sua força por trás do movimento, e homem e fera tombaram juntos.

Praguejando baixinho sem coerência, Taurus se curvou sobre a massa e viu os membros do companheiro se movendo, enquanto tentava se arrastar para longe do enorme peso que repousava sem vida sobre si. Um simples olhar revelou para o surpreso nemediano que o leão estava morto, seu crânio partido ao meio. Ele agarrou com força a carcaça, e, com a ajuda dele, Conan a empurrou para o lado e ficou de pé, ainda segurando a espada gotejando sangue.

— Está ferido, homem? — sussurrou Taurus, ainda boquiaberto com a estonteante velocidade com que o episódio se desenrolou.

— Não, por Crom! — respondeu o bárbaro. — Mas essa passou raspando, tanto quanto já aconteceu em toda a minha vida, que está longe de ser tranquila. Por que a fera maldita não rugiu quando atacou?

— Tudo é estranho nesse jardim — afirmou Taurus. — Os leões atacam silenciosamente... assim como fazem outras mortes. Mas venha. Apesar de ter matado o animal sem fazer muito ruído, se os soldados não estiverem dormindo ou bêbados podem ter escutado. A fera estava em alguma outra parte do jardim e escapou a morte das flores, mas decerto não há outros. Devemos subir por esta corda... e acho que não preciso perguntar para um cimério se ele consegue.

— Se ela aguentar o meu peso — resmungou Conan, limpando a espada na grama.

— Aguenta até três vezes o meu — respondeu Taurus. — Ela foi tecida com as tranças de mulheres mortas, roubadas de seus túmulos no meio da noite, e, para a tornar ainda mais forte, foi mergulhada no vinho mortíferos das árvores upas. Eu vou primeiro. Suba logo atrás de mim.

O nemediano agarrou a corda e, a engatando atrás do joelho, com a agilidade de um gato, o que parecia negar a aparente falta de jeito de seu corpanzil, começou a subida. O cimério o seguiu. A corda balançava e girava em torno do próprio eixo, mas os dois não se deixaram abalar, pois ambos já haviam realizado escaladas mais difíceis. A beirada incrustada de joias reluzia acima deles, projetada perpendicularmente da torre, o que tornou a subida deles mais fácil.

À medida que os dois iam subindo em silêncio, as luzes da cidade ficavam cada vez mais distantes, e as estrelas acima iam sendo ofuscadas pelo brilho das joias ao longo da beirada. Taurus por fim ergueu a mão, agarrando a beirada em si, fascinado com as enormes gemas, cujo brilho chegava a ser desnorteante... diamantes, rubis, esmeraldas, safiras, turquesas, opalas, incrustadas como estrelas na prata reluzente. De longe, seus brilhos diversos pareciam se mesclar em um pulsante clarão branco, porém naquele momento, vistas de perto, reluziam com as infinitas tonalidades do arco-íris, o hipnotizando com sua cintilação.

— Há uma fortuna fabulosa aqui, Taurus — sussurrou.

— Venha! Se pegarmos o Coração, tudo isso, e muito mais, será nosso — foi a resposta impaciente do nemediano.

Conan se alçou por sobre a borda cintilante. O nível do topo da torre ficava vários centímetros abaixo da beirada ornamentada. Era plano, composto de alguma escura substância azulada, com detalhes em ouro, que refletiam a luz das estrelas, fazendo com que o lugar todo parecesse uma enorme safira salpicada de poeira dourada reluzente. Do lado oposto ao local por onde haviam subido parecia haver uma espécie de câmara construída sobre o telhado. Era feita do mesmo material prateado que as paredes da torre, adornado com joias menores, e sua única porta era de ouro, cuja superfície trabalhada parecia de escamas e incrustada de joias que reluziam como o gelo.

Conan lançou um olhar para o pulsante oceano de luzes que se estendia bem abaixo deles, depois olhou para Taurus. O nemediano estava puxando a corda e a enrolando. Ele mostrou para Conan onde o gancho engatara... uma fração de centímetros da ponta afundara debaixo de uma enorme joia reluzente, na parte interna da borda.

— A sorte estava novamente do nosso lado — murmurou. — Não é difícil de se imaginar que o nosso peso combinado pudesse ter arrancado aquela pedra preciosa da base. Me siga. Os verdadeiros riscos dessa nossa aventura estão apenas começando. Estamos no covil da serpente e não sabemos onde ela se esconde.

Como tigres à espreita, eles se esgueiraram pelo telhado, se detendo diante da porta cintilante. Com a mão hábil e cautelosa, Taurus a testou. Ela não ofereceu qualquer resistência, e, tensos, preparados para qualquer coisa, os dois companheiros espiaram lá dentro. Por cima do ombro do nemediano, Conan vislumbrou uma câmara reluzente, as paredes, o teto e o chão incrustados com grandes joias brancas que a clareavam e que pareciam ser a única fonte de iluminação. A câmara parecia não conter vida.

— Antes de deixarmos para trás a nossa última opção de retirada, vá até a beirada e olhe ao redor de toda a torre — sibilou Taurus. — Se vir qualquer soldado patrulhando os jardins, ou qualquer coisa suspeita, volte e me avise. Eu ficarei aguardando você no interior dessa câmara.

Conan não viu muito motivo para isso, e sua alma foi tocada por um ligeira desconfiança no tocante ao companheiro, mas fez o que Taurus pediu. Quando se virou, o nemediano se esgueirou pela porta, que fechou atrás de si. Conan percorreu sorrateiramente a beirada da torre, retornando ao ponto de partida sem ter identificado nenhum movimento suspeito nas folhas vagamente oscilantes lá embaixo. Ele se virou na direção da porta... e subitamente, do interior da câmara, ecoou um grito abafado.

O cimério se adiantou com um salto, eletrificado. A porta reluzente se abriu e Taurus apareceu, emoldurado pelo clarão frio atrás dele. O homem cambaleou, e seus lábios se entreabriram, mas apenas um estertor seco escapuliu de sua garganta. Buscando apoio na porta dourada, ele se adiantou para o telhado, antes de tombar nele, agarrando desesperadamente a própria garganta. A porta se fechou atrás dele.

Ágil como uma pantera à espreita, Conan se agachou. No breve instante em que a porta ficou aberta, não viu nada no aposento atrás do nemediano, a não ser que não tivesse sido um truque de luz que fez parecer que uma sombra cruzasse a porta reluzente. Nada seguiu Taurus até o telhado, e Conan se curvou sobre o homem.

O nemediano fitava com os olhos arregalados, as pupilas dilatadas, cheias de confusão e espanto. Suas mãos apertavam a garganta, os lábios tremendo e balbuciando algo incompreensível. Em seguida, ele ficou imóvel, e o espantado cimério se deu conta de que Taurus estava morto, sem sequer saber o que o atingira. Conan fitou a misteriosa porta dourada. Naquela sala vazia, com suas reluzentes paredes ornadas de joias, a morte alcançara o príncipe dos ladrões tão rápida e misteriosamente quanto ele havia matado os leões no jardim abaixo.

Hesitante, o bárbaro passou as mãos pelo corpo seminu do outro homem, procurando uma ferida, todavia, as únicas marcas de violência que encontrou estavam entre os ombros, perto da base do pescoço taurino... três pequenas incisões, que pareciam ter sido feitas por três unhas que se cravaram na carne, antes de se retraírem. A pele em volta das feridas estava enegrecida e exalava um ligeiro cheiro de putrefação. *Dardos envenenados?*, pensou Conan. Mas, nesse caso, os projéteis ainda deveriam estar nas feridas.

Cautelosamente, ele se esgueirou em direção à porta dourada, a abriu e espiou lá dentro. A câmara estava vazia, banhada pelo brilho frio e pulsante das inúmeras joias. No centro do teto notou um desenho esquisito... um padrão octogonal preto, no centro do qual quatro gemas reluziam com uma chama avermelhada, diferente do brilho branco das outras joias. Do outro lado do aposento, havia outra porta, igual àquela diante da qual estava postado, só que ela não estava entalhada com o mesmo padrão de escamas. A morte teria vindo por aquela porta? E, havendo atingido a vítima, retrocedera pelo mesmo caminho?

Fechando a porta atrás de si, o cimério avançou para dentro da câmara. Seus pés descalços não fizeram qualquer som no piso de cristal. Não havia cadeiras nem mesas na câmara, apenas três ou quatro sofás de seda, com detalhes em ouro, dispostos em um estranho padrão serpentino, e vários baús de mogno. Alguns estavam trancados com pesados cadeados dourados, outros estavam abertos, suas tampas entalhadas jogadas para trás, revelando para os olhos assombrados do cimério montes de joias em uma confusão de esplendor. Conan praguejou baixinho. Já vira mais riqueza naquela noite do que jamais sonhara sequer existir em todo o mundo e ficou zonzo só de pensar em qual deveria ser o valor da joia que buscava.

Já chegara ao centro do aposento e avançou inclinado para frente, com a cabeça desconfiadamente projetada, a espada em punho, quando a morte voltou a atacar silenciosamente. Uma sombra voadora deslizando pelo piso reluzente foi o único alerta, e apenas salvou a vida ao saltar instintivamente para o lado. Vislumbrou rapidamente o horror negro que passou na sua frente com o estalar de presas mortíferas, respingando algo que queimou como gotas de fogo do inferno líquido ao cair em seu ombro nu. Com um pulo para trás, erguendo a espada, viu o horror atingir o chão, girar e se lançar sobre ele com incrível velocidade. Era uma gigantesca aranha negra, igual àquelas que são vistas apenas em pesadelos.

Era grande como um porco, e suas oito patas peludas carregavam o corpo repulsivo com a cabeça saltada para frente enquanto os quatro olhos malignos brilhavam com uma terrível inteligência. Das presas gotejava o veneno que, pela queimação em seu ombro, Conan sabia estar carregado de morte instantânea. Era esse o assassino que se precipitara da teia pendurada no centro do teto sobre o pescoço do nemediano. Foram tolos em não desconfiar que as câmaras superiores estariam tão bem guardadas quanto as inferiores!

Tais pensamentos passaram pela cabeça de Conan ante o avanço do monstro. Ele saltou para o alto, e a criatura passou debaixo dele, girou e voltou a atacar. Dessa vez, ele se esquivou do ataque com um salto para o lado e golpeou com a agilidade de um gato. A espada cortou uma das pernas peludas, e mais uma vez ele mal conseguiu escapar quando a monstruosidade avançou na direção dele, com as presas estalando diabolicamente. Mas a criatura não insistiu no ataque. Em vez disso, se virou e recuou sobre o piso de cristal, subindo por uma das paredes até o teto, onde ficou encolhida por um instante, o fitando com os diabólicos olhos vermelhos. Em seguida, sem aviso, ela saltou no ar, deixando para trás de si a rastro de um fio de gosma acinzentado.

Conan deu um passo para trás, para evitar o corpo voando em sua direção, depois se agachou freneticamente, bem a tempo para evitar que fosse envolvido pela teia voadora. Percebeu a intenção do monstro e saltou na direção da porta, mas a criatura foi mais rápida e um fio gosmento lançado na direção da saída o tornou um prisioneiro da câmara. Não ousava tentar cortar o material com a espada, pois sabia que, pegajoso como era, se agarraria à lâmina, e, antes que o cimério o conseguisse retirar, o demônio lhe fincaria as presas nas costas.

E então começou um jogo desesperado, a inteligência e a rapidez do homem contra a diabólica destreza e velocidade de uma aranha gigante. Ela não avançava mais pelo chão em ataques diretos, nem balançava o corpo pelo ar na direção dele. Em vez disso, corria pelas paredes e pelo teto, procurando capturá-lo com os compridos fios grossos e pegajosos da teia acinzentada, que era capaz de lançar com diabólica precisão. Os fios eram grossos como cordas, e Conan sabia que, uma vez o envolvessem, sua força desesperada não seria o suficiente para libertá-lo antes que o monstro atacasse.

O jogo diabólico se estendeu por toda a câmara, em completo silêncio, exceto pela respiração acelerada do homem, o roçar baixinho dos pés descalços sobre o piso reluzente, e o ruído semelhante a castanholas das presas do monstro. Montes enrolados dos fios acinzentados se espalhavam pelo chão, pendiam das paredes e do teto e recobriam os baús de joias e os sofás de seda. O olhar atento e os músculos rápidos de Conan o mantinham intocado em meio aos laços gosmentos que passavam raspando por ele. Sabia que não poderia evitá-los para sempre. Não bastasse ter que ficar atento aos fios que caiam do teto, também precisava prestar atenção no chão para não tropeçar nos fios espalhados ali. Cedo ou tarde um laço gosmento o envolveria como uma serpente, o enrolaria em um casulo, e ele morreria à mercê do monstro.

A aranha correu pelo chão da câmara, a corda acinzentada trilhando atrás dela. Conan saltou por cima de um dos sofás. Com um giro rápido, o demônio subiu correndo a parede, e o fio, saltando do chão como uma coisa viva, se enrolou ao redor do tornozelo do cimério. Ele se apoiou nos braços ao cair, se debatendo freneticamente para se livrar da teia. O demônio peludo estava descendo pela parede para completar a captura. No desespero, Conan agarrou um dos baús de joia e o arremessou com toda a força contra o monstro. O movimento pegou a criatura de surpresa, e ela foi atingida em cheio, bem no meio do corpo, sendo atirada contra a parede com um repugnante e abafado ruído e espirando sangue e gosma verde para todos os lados. O corpo negro esmagado ficou largado no chão em meio ao brilho flamejante das joias, as pernas peludas se movendo desordenadamente, os olhos moribundos reluzindo de vermelho em meio às gemas cintilantes.

Conan olhou ao redor, mas nenhum outro horror apareceu, e ele tratou de se libertar da teia. A substância obstinadamente se recusava a se soltar do tornozelo e das mãos, mas, por fim, ele conseguiu se libertar e, pegando a espada, traçou um caminho por entre os laços e montes de teia acinzentada até a porta interna. Que horrores encontraria lá dentro, Conan não sabia dizer. O sangue cimério estava fervendo, e, como ele chegara até ali e superado tanto perigo, estava determinado a ir até o fim daquela aventura, fosse qual fosse. E supôs que a joia que procurava não estivesse entre aquelas espalhadas pela sala reluzente.

Cortando a teia que se acumulava na porta interna, descobriu que ela, como a outra, não estava trancada. Perguntou-se se os soldados lá embaixo ainda continuavam sem saber da presença dele. Bom, estava bem acima das cabeças deles, e, se pudesse acreditar nas histórias, eles estavam acostumados a ruídos estranhos vindos da parte superior da torre... sons sinistros e gritos de agonia e terror.

Yara não lhe saía da cabeça e não se sentiu nem um pouco à vontade quando abriu a porta dourada. Mas se deparou apenas com um lance de degraus prateados descendo, fracamente iluminados por uma fonte que ele não conseguiu identificar. Desceu os degraus em silêncio, com a espada em punho. Não escutou som algum e logo se deparou com uma porta de marfim, cravejada de jaspe-sanguíneo. Procurou escutar, mas nenhum som veio de lá de dentro, apenas tênues tufos de fumaça se esticavam preguiçosamente por baixo da porta, exalando um odor exótico, desconhecido ao cimério. Abaixo dele, a escadaria prateada serpenteava rumo ao pé da torre, desaparecendo na penumbra, e nenhum som vinha daquele poço sombrio. Conan teve o sinistro pressentimento de que estava sozinho em uma torre ocupada somente por fantasmas e assombrações.

III

Cautelosamente empurrou a porta de marfim, que girou em silêncio para dentro. Da luz fraca do limiar da porta, Conan olhou como um lobo em um ambiente estranho, pronto para, em uma fração de segundo, lutar ou fugir. Estava fitando uma larga câmara com um teto dourado abobadado. As paredes eram de jade esverdeado, e o piso de marfim era parcialmente coberto por grossos tapetes. Fumaça e o perfume exótico de incenso vinham de um braseiro postado em um tripé dourado, e por trás dele repousava um ídolo em uma espécie de sofá de mármore. Conan fitou espantado. A imagem tinha o corpo de um homem nu com pele verde, e a cabeça era uma coisa de pesadelos e loucura. Grande demais para o corpo humano, não tinha nenhum dos atributos da humanidade. Conan olhou para as ostentosas orelhas amplas e a tromba enroscada, ladeada em ambos os lados por presas brancas com bolas douradas nas pontas. Os olhos estavam fechados, como se a criatura estivesse adormecida.

Esta então era a razão para o nome — a Torre do Elefante —, pois a cabeça da criatura era muito parecida com as das bestas descritas pelo nômade semita. Esse era o deus de Yara, e será que era ali, então, onde a gema deveria estar, escondida no ídolo, já que a joia era chamada o Coração do Elefante?

Quando Conan se adiantou, com o olhar fixo no ídolo imóvel, os olhos da coisa subitamente se abriram! O cimério interrompeu o avanço... era uma coisa viva, e ele estava aprisionado naquela câmara!

Que não tivesse instantaneamente explodido em um frenesi assassino era um fato que media bem o terror, que o paralisou ali mesmo onde estava. Um homem civilizado na posição dele teria buscado refúgio duvidoso na conclusão de que estava insano. Ao cimério, não lhe ocorreu duvidar de seus sentidos. Sabia que estava cara a cara com um demônio do Mundo Ancião, e tal realização o privou de todas as suas habilidades, exceto pela visão.

O tronco do horror estava erguido e girava ao redor, com os olhos de topázio fitando sem enxergar, e Conan soube que o monstro era cego. Com tal pensamento, seus nervos paralisados se descongelaram, e ele começou a lentamente recuar na direção da porta. Mas a criatura escutou. O tronco sensível se virou na direção dele, e Conan voltou a ficar paralisado de terror quando o ser falou, em uma estranha voz hesitante que jamais mudava de tom ou timbre. O cimério sabia que aquelas mandíbulas jamais haviam sido feitas para a fala humana.

— Quem está aqui? Veio me torturar novamente, Yara? Será que não terminará nunca? Ó, Yag-kosha, não há fim para essa agonia?

Lágrimas rolaram dos olhos cegos, e o olhar de Conan se voltou para os membros estendidos sobre o sofá de mármore, e soube que o monstro não se ergueria para o atacar. Ele conhecia as marcas da roda de tortura e as queimaduras do ferro em brasa, e, por mais duro de alma que fosse, fitou horrorizado com as deformidades arruinadas que sua razão lhe dizia um dia terem sido membros tão bem formados quanto os dele próprio. Subitamente, o medo e a repulsa desapareceram de seu íntimo e foram substituídos por grande compaixão. O que era o monstro, Conan não saberia dizer, mas as evidências de seu sofrimento eram tão terríveis e suscitavam tanta piedade que uma estranha tristeza que ele não soube explicar se apossou do cimério. Sentia apenas que estava olhando para uma tragédia cósmica e se encolheu, tomado de vergonha, como se a culpa de toda uma raça houvesse sido depositada sobre seus ombros.

— Não sou Yara — disse. — Sou apenas um ladrão. Não vou lhe fazer mal.

— Se aproxime para que eu possa tocá-lo.

A criatura hesitou, e, sem medo, Conan se aproximou, a espada abaixada esquecida em sua mão. O tronco sensível se estendeu e, como um homem cego faria, lhe tateou o rosto e os ombros. O toque era leve como a mão de uma menina.

— Não pertence à mesma raça diabólica de Yara — suspirou a criatura. — Você traz as marcas dos desertos amplos e selvagens. Conheço o seu povo de tempos imemoriais, quando era conhecido por outro nome, quando outro mundo levantava suas torres ornadas para as estrelas. Há sangue nos seus dedos.

— Uma aranha na câmara acima, e um leão no jardim — murmurou Conan.

— Também matou um homem esta noite. E sinto a morte na torre acima. Eu sei.

— Verdade. O príncipe dos ladrões jaz ali, morto pela picada da aranha.

— Então... e então! — A estranha voz inumana se elevou em uma espécie de cântico baixo. — Uma morte na taverna e uma morte na estrada... eu sei, eu sinto. E a terceira fará a magia que nem mesmo Yara sonha, a magia da libertação, ó deuses verdes de Yag!

Mais uma vez, lágrimas rolaram, e o corpo torturado foi embalado por diversas emoções. Conan ficou observando, confuso.

Em seguida, as convulsões cessaram, os cegos olhos meigos se voltaram para o cimério, e a tromba acenou.

— Escute, humano — disse o estranho ser. — Sei que sou repugnante e monstruoso para você, não sou? Não, não precisa responder. Porém, se eu pudesse enxergar, você também pareceria estranho para mim. Há muitos mundos além deste, e a vida toma muitas formas diferentes. Não sou deus nem demônio, mas carne e sangue como você, embora a substância seja, em parte, diferente, e a minha forma tenha tido um outro molde.

"Sou muito velho, homem dos desertos. Há muito, muito tempo, eu vim para esse planeta com outros de meu mundo, do planeta verde Yag, que orbita para sempre nas fronteiras externas do universo. Nós voamos pelo espaço em asas poderosas, que nos transportaram pelo cosmo mais rápido do que a luz, porque declaramos guerra aos reis de Yag e fomos derrotados e exilados. Contudo, jamais poderíamos retornar, pois, na Terra, nossas asas murcharam nos nossos ombros. Aqui, vivemos separados da vida terrena. Lutamos contra estranhas e terríveis formas de vida quando caminhamos pelo planeta, nos tornando assim temidos, e não fomos incomodados nas sombrias selvas orientais, onde morávamos.

"Vimos os homens crescerem dos macacos e construir as reluzentes cidades de Valusia, Kamelia, Commoria, e as suas irmãs. Nós as vimos estremecer ante os ataques dos atlantes, pictos e lemurianos pagãos. Vimos os oceanos se elevarem, tragando a Atlântida e a Lemúria, e as ilhas dos pictos, e as reluzentes cidades da civilização. Vimos os sobreviventes dos povos pictos e da Atlântida construírem seus impérios da Idade da Pedra e caírem na ruína, envolvidos em guerras sangrentas. Vimos os pictos afundando em abismal selvageria, e os atlantes voltando aos tempos dos macacos. Vimos novas levas de migração de selvagens rumo ao sul, vindas do Círculo Ártico, para construir novas civilizações, com novos reinos chamados Nemédia, e Koth, e Aquilônia, e suas irmãs. Sob um novo nome, vimos o seu povo ascender dos atlantes que regrediram ao nível dos macacos. Vimos os descendentes dos lemurianos que sobreviveram ao cataclismo surgirem de novo como selvagens que migraram para o oeste, com o nome de hirkanianos. E vimos essa raça diabólica, sobreviventes de civilizações antigas que precediam a submersão da Atlântida, retornando ao poder e à cultura neste maldito reino de Zamora.

"Tudo isso nós vimos, sem ajudar e nem atrapalhar o cumprimento da imutável lei cósmica, e fomos morrendo um a um, pois nós, de Yag, não somos imortais, embora nossas vidas sejam tão longas quanto a dos planetas ou das constelações. Por fim, somente eu restei, sonhando de tempos passados entre as ruínas dos templos da selva perdida de Khitai, idolatrado como um deus pela antiga raça de pele amarela. E então veio Yara, versado no conhecimento oculto transmitido desde os dias da barbárie, desde antes de a Atlântida afundar.

"Primeiro, ele se sentou aos meus pés e aprendeu sabedoria. Mas não se contentou com o que eu lhe ensinei, pois era magia branca, e ele desejava o conhecimento do mal para escravizar reis e satisfazer uma ambição diabólica. Eu me recusei a lhe ensinar qualquer um dos segredos sombrios que eu acumulara, mesmo a contragosto, ao longo das eras.

"Mas o conhecimento dele era maior do que eu imaginara, com astúcia adquirida entre as tumbas escuras da sombria Estígia. Ele me forçou a lhe divulgar um segredo que eu não pretendia revelar, e, voltando meu próprio poder contra mim, me escravizou. Ah, deuses de Yag, minha taça tem sido amarga desde aquela hora!

"Ele me trouxe até aqui das selvas perdidas de Khitai, onde gorilas acinzentados dançavam com a música que vinha das flautas dos sacerdotes amarelos, e ofertas de frutas e vinhos abundavam nos meus altares destruídos. Eu não era mais um deus para o povo gentil da selva... era escravo de um demônio em forma humana."

Mais uma vez, lágrimas brotaram dos olhos cegos.

— Ele me prendeu nesta torre que, ao seu comando, construí para ele em uma única noite. Com o suplício da roda e do fogo, ele me dominou, usando estranhas torturas de mundos além deste, incompreensíveis para você. Em agonia, há muito eu teria tirado a minha própria vida, se fosse capaz. Mas ele me manteve vivo... mutilado, cego, e humilhado... para lhe fazer a vil vontade, e já há trezentos anos que assim a tenho feito daqui deste sofá de mármore, manchando a minha alma com pecados cósmicos e maculando a minha sabedoria com crimes, pois eu não tive outra escolha. No entanto, ele não conseguiu arrancar de mim todos os meus segredos antigos, e meu último presente será a magia do Sangue e da Joia. Pois eu sinto que o meu fim está próximo. Você é a mão do Destino. Eu lhe imploro, leve a gema que encontrará sobre aquele altar.

Conan se virou para o altar de ouro e marfim indicado e pegou uma grande joia arredondada, translúcida como um cristal carmesim, e soube que aquele era o Coração do Elefante.

— Agora, para a grande magia, para a poderosa magia, como este mundo nunca viu e nunca voltará a ver, mesmo após milhões e milhões de milênios. Pelo sangue que me dá vida, eu o invoco, pelo sangue nascido no grande seio de Yag, sonhando suspenso na imensidão azul do espaço.

"Pegue a espada, homem, e arranque o meu coração. Depois o esprema, para que o sangue escorra sobre a joia vermelha. Em seguida, desça as escadas e adentre a câmara de ébano onde Yara dorme, embalado pelos sonhos malignos do lótus. Fale o nome dele, e ele acordará. Depois, deposite essa gema diante dele e diga: 'Yag-kosha lhe dá um último presente e um último encantamento.' Então, deixe essa torre o mais rápido que conseguir. Não tema, o caminho de fuga ficará claro para você. A vida dos homens não é a vida de Yag, nem a morte humana é a morte de Yag. Me ajude a me livrar desta prisão de carne cega e mutilada, e eu mais uma vez serei Yogah de Yag, coroado pela manhã e reluzente, com asas para voar, e pés para dançar, e olhos para ver, e mãos para tocar."

Hesitantemente, Conan se aproximou, e Yag-kosha, ou Yogah, como se pressentisse aquela vacilação, indicou onde ele deveria acertar. Conan cerrou os dentes e enterrou fundo a espada. Sangue recobriu a lâmina e sua mão, e o monstro convulsionou, depois caiu para trás e ficou imóvel. Certo de que a vida abandonara o corpo, pelo menos a vida como ele entendia, Conan se pôs a trabalhar na terrível tarefa e rapidamente extraiu algo que ele pressentiu que devia ser o coração da estranha criatura, embora fosse curiosamente diferente de qualquer outro que ele já vira. Segurando o órgão pulsante acima da joia reluzente, ele o apertou com ambas as mãos, e uma chuva de sangue caiu sobre a gema. Para sua surpresa, em vez de escorrer, o líquido foi sugado pela joia, como água sendo absorvida por uma esponja.

Pegando delicadamente a pedra preciosa, ele deixou a câmara fantástica e se deparou com a escadaria prateada. Não olhou para trás. Instintivamente, pressentiu que alguma espécie de transmutação estava acontecendo no corpo sobre o sofá de mármore e sentiu ainda que não era o tipo de evento para ser presenciado por olhos humanos.

Fechou a porta de marfim atrás de si e sem hesitação desceu os degraus prateados. Sequer lhe ocorreu ignorar as instruções dadas. Deteve-se diante de uma porta de ébano, no centro da qual estava um sorridente crânio de prata, e a empurrou. Deparou-se com uma câmara de ébano e azeviche e viu, em um sofá de seda preta, uma figura alta e magra reclinada. Yara, o sacerdote e feiticeiro, estava deitado diante dele, os olhos abertos e dilatados com os vapores da lótus amarela, fitando o infinito, como se o olhar estivesse fixo em abismos escuros além da compreensão humana.

— Yara! — disse Conan, como um juiz pronunciando uma sentença fatal. — Acorde!

Os olhos clarearam instantaneamente, se tornando frios e cruéis como os de um abutre. A figura alta envolta em seda se ergueu ereta, se empertigando diante do cimério.

— Cão! — Seu sibilar pareceu a voz de uma cobra. — O que está fazendo aqui?

Conan depositou a joia sobre a mesa de ébano.

— Aquele que lhe enviou a joia me mandou dizer: "Yag-kosha lhe dá um último presente e um último encantamento."

Yara recuou, seu rosto sombrio empalidecendo. A joia não era mais um cristal límpido. Suas profundezas obscuras pulsavam e latejavam, e curiosas ondas enfumaçadas de cores inconstantes passavam pela superfície lisa. Como se hipnoticamente atraído, Yara se curvou sobre a mesa e tomou a gema nas mãos, fitando as profundezas escuras, como se fosse um imã para atrair a alma trêmula de seu corpo. E, ao olhar aquela cena, Conan teve a impressão de que seus olhos deviam estar pregando peças nele. Pois, quando Yara se erguera do sofá, o sacerdote parecera gigantescamente alto, no entanto percebeu que a cabeça de Yara mal chegava ao seu ombro. Ele piscou os olhos, confuso, e pela primeira vez naquela noite duvidou dos próprios sentidos. Em seguida, chocado, se deu conta de que o sacerdote estava encolhendo, ficando cada vez menor diante de seus olhos.

Com uma sensação de desconexão, ficou observando, como um homem poderia assistir a uma peça, imerso em uma sensação de irresistível irrealidade. O cimério não teve mais certeza da própria identidade, sabia apenas que estava olhando para a evidência externa de uma peça jamais vista de vastas forças externas, além de sua capacidade de compreensão.

Yara já não passava do tamanho de uma criança, e como uma criança se jogou sobre a mesa, ainda segurando a joia. Naquele momento, o feiticeiro subitamente se deu conta de seu destino e se empertigou, largando a joia. Mas continuou definhando, e Conan viu uma pequena figura pigmeia se debatendo sobre o tampo de mesa de ébano, balançando os bracinhos e gritando em uma voz que era como um guincho de um inseto.

Ele encolhera tanto que a grande joia parecia uma montanha diante dele, e Conan o viu cobrir os olhos com as mãos, como se para protegê-los do brilho, cambaleando como um homem embriagado. Conan pressentiu que algum campo magnético invisível estava puxando Yara para dentro da gema. Três vezes ele tentou se virar, três vezes tentou correr para longe da joia, e então, com um grito que ecoou fracamente nos ouvidos do observador, o sacerdote ergueu os braços e correu direto para o globo ardente.

Curvando-se sobre a mesa, Conan viu Yara tentando escalar a superfície curva, impossivelmente, como um homem escalando uma montanha de vidro. Por fim, o sacerdote estava postado no topo, ainda com os braços erguidos, invocando nomes terríveis conhecidos apenas pelos deuses. E, de repente, ele afundou no coração da gema, como um homem que afunda no mar, e Conan viu as ondas enfumaçadas próximas da cabeça do sacerdote. Naquele momento, o via no coração carmesim da joia, mais uma vez límpida como cristal, como um homem enxerga uma cena de longe, pequenina devido à enorme distância. E, no coração, apareceu uma reluzente e esverdeada figura alada com o corpo de um homem e a cabeça de um elefante... não mais cego, tampouco aleijado. Yara ergueu os braços e fugiu como um louco, e em seus calcanhares veio o vingador. Em seguida, como uma bolha estourando, a grande joia desapareceu em uma multicolorida explosão de luzes iridescente, e o tampo da mesa de ébano ficou vazio... tão vazio quanto — Conan, de algum modo, soube — o sofá de mármore na câmara acima, onde repousara o corpo daquele estranho ser cósmico chamado Yag-kosha e Yogah.

O cimério se virou e fugiu correndo da câmara, descendo a escadaria de prata. Estava tão confuso que sequer lhe passou pela cabeça escapar da torre pelo caminho que entrara. Pelo sinuoso e escuro poço prateado ele desceu correndo, até chegar a uma câmara larga no pé da reluzente escadaria. Ali, se deteve por um instante. Adentrara a sala dos soldados. Viu o cintilar dos corseletes prateados e brilho dos punhos das espadas cravejados de joias. Distribuídos ao redor da mesa do banquete, com as plumas escuras se agitando solenemente acima dos elmos nas cabeças, estavam largados em meio aos dados, as taças caídas ao redor do piso de lápis-lazúli manchado de vinho. E Conan soube que estavam mortos. A promessa fora feita, a palavra, cumprida. Conan não sabia se por feitiçaria ou magia, ou pela sombra cadente de enormes asas verdes, mas a folia foi silenciada, e seu caminho, desvelado. Uma porta prateada estava aberta, revelando a brancura da alvorada.

Como um homem acordando de um sonho, o cimério saiu para os jardins esverdeados, sendo recebido pelo vento da alvorada, que trazia as refrescantes fragrâncias das plantas exóticas. Hesitantemente, olhou para trás, para fitar a torre enigmática que acabara de deixar. Estava enfeitiçado e encantado? Sonhara tudo aquilo que acabara de passar? Quando olhou, viu a outrora reluzente torre balançar de encontro à alvorada carmesim, sua borda incrustada de joias cintilando sob a luz matinal, por fim tombando e se espatifando em cacos brilhantes.

A história "O colosso negro" encerra o Período Inicial das narrativas de Conan. Sua publicação se deu no mês de junho do ano de 1933 pela *Weird Tales*. Howard, nessa história, ao trazer uma das heroínas mais emblemáticas de Conan, a princesa Yasmela, acaba por achar sua fórmula de ouro: sensuais donzelas em perigo, ruínas antigas e a presença de forças sobrenaturais malignas.

A partir desse momento as histórias seguintes de Conan se enquadrarão no Período Intermediário, em que as narrativas seguirão fielmente esse padrão, visto que serão mais comerciais para a *Weird Tales* e garantirão maiores chances de publicação, gerando, assim, renda no meio da Grande Depressão.

O COLOSSO NEGRO

I

A NOITE DO PODER, QUANDO O DESTINO ESPREITA OS CORREDORES DO MUNDO COMO UM COLOSSO RECÉM-ERGUIDO DE UM ANTIGO TRONO DE GRANITO...

- **E. Hoffman Price,** A Garota de Samarkand

Apenas o silêncio ancestral pairava sobre as ruinas misteriosas de Kuthchemes, mas o Medo estava presente, o Medo aturdia a mente de Shevatas, o ladrão, tornando sua respiração rápida e acentuada de encontro aos dentes cerrados.

Parado ali, era o único átomo de vida em meio aos monumentos colossais de desolação e decadência. Não havia nem sequer um abutre na forma de um ponto negro contra o vasto céu azul, que o sol envidraçava com seu calor. Por todos os lados se erguiam sombrias relíquias de uma era esquecida: enormes pilares quebrados atravessando o céu com seus pináculos chanfrados; compridas fileiras oscilantes de muralhas em ruínas; blocos de pedra ciclópicos caídos; ídolos despedaçados cujas feições horríveis os ventos corrosivos e as tempestades de areia não perdoaram. Por todo o horizonte não havia sinal de vida, somente a plena e impressionante vastidão do deserto, bifurcado pela linha tortuosa de um rio havia muito tempo seco. No meio daquela imensidão, as colunas se erguiam como mastros quebrados de navios afundados, todas elas dominadas pelo enorme domo de marfim diante do qual Shevatas estremecia.

A base desse domo era um pedestal gigantesco de mármore que se erguia no que já fora um terraço projetado sobre as margens do antigo rio. Degraus largos conduziam a uma grande porta de bronze no domo, que repousava sobre a base como a metade de um ovo titânico. O próprio domo era feito de marfim puro, que reluzia como se alguma mão o mantivesse lustrado. Da mesma forma, a extremidade espiralada e dourada do pináculo também brilhava, assim como a inscrição de hieróglifos dourados que se estendia ao longo de vários metros por toda a curvatura da construção. Nenhum homem na face da Terra seria capaz de ler tais caracteres, mas Shevatas se arrepiou diante das sinistras conjecturas que eles elencavam. Vinham de uma raça bastante antiga, cujos mitos remontavam a ideias sequer sonhadas pelas tribos contemporâneas.

Shevatas era magro e ágil, como convinha a um mestre dos ladrões de Zamora. Tinha a pequena cabeça redonda raspada, e sua única vestimenta era uma tanga de seda vermelha. Como todos de sua raça, tinha a pele bem escura, e o estreito rosto de abutre era realçado pelos astutos olhos negros. Os dedos delgados e hábeis eram rápidos e nervosos, como as asas de uma mariposa. Trazia à cintura um cinto de escamas douradas, do qual pendia uma espada curta de punho cravejado de joias em uma bainha de couro ornamentada. Shevatas tratava a arma com um cuidado aparentemente exagerado. Parecia até mesmo tentar evitar o contato da bainha com a coxa nua. Mas tamanha cautela não era desprovida de motivo.

Ele era Shevatas, um ladrão entre ladrões, cujo nome era pronunciado com admiração na Marreta e nos recantos sombrios sob o templo de Bel, e que viveria por muitos anos nas canções e nos mitos. Não obstante, sentiu seu coração ser devorado pelo medo ao se pôr de frente para o domo de marfim de Kuthchemes. Qualquer tolo podia ver que havia algo de sobrenatural naquela estrutura. Apesar dos três mil anos durante os quais o domo fora castigado pelos ventos e pela luz do sol, seu ouro e marfim continuavam tão reluzentes quanto no dia em que mãos anônimas o ergueram, às margens de um rio sem nome.

Aquela condição sobrenatural combinava com a aura geral das ruínas assombradas por demônios. O deserto era a misteriosa vastidão que se estendia a sudoeste das terras de Sem. Shevatas sabia que seguir por alguns dias de camelo naquela direção o levaria até o grande rio Estige, na altura em que fazia um ângulo reto em relação ao curso anterior e fluía rumo ao oeste, para enfim desaguar em um mar distante. No local da curva começava a terra de Estígia, a dama do sul de seios escuros, cujos domínios, banhado pelo grande rio, se erguiam do deserto ao redor.

Ao leste, Shevatas sabia, o deserto se emendava nas estepes que se alongavam até o reino hirkaniano de Turan, elevado em um esplendor bárbaro às margens do grande mar interior. A uma semana de cavalgada rumo ao norte, se encontravam colinas áridas, além das quais se situavam as férteis terras altas de Koth, o reino mais ao sul das raças hiborianas. E na direção oeste o deserto se fundia às planícies de Sem, que se estendiam rumo ao oceano.

Shevatas sabia de tudo isso sem estar particularmente consciente do conhecimento, como um homem conhece as ruas da própria cidade. Como viajante, pilhara os tesouros de muitos reinos, porém naquele momento hesitava e tremia diante da maior das aventuras e do mais grandioso tesouro de todos.

Naquele domo de marfim jaziam os ossos de Thugra Khotan, o feiticeiro sinistro que reinara em Kuthchemes três mil anos antes, quando os reinos de Estígia se estendiam até bem mais ao norte do grande rio, por cima das planícies de Sem, até as terras altas. Então, a grande migração dos hiborianos varreu o sul, egressa da terra natal da raça, próximo ao polo norte. A titânica migração perdurou por séculos e eras. Contudo, no reinado de Thugra Khotan, o último mago dos Kuthchemes, bárbaros de olhos acinzentados e cabelos desgrenhados, trajando peles de lobos e armaduras de escamas, cavalgaram do norte até os ricos planaltos para devastar o reino de Koth com suas espadas de ferro. Eles invadiram Kuthchemes como um maremoto, banhando de sangue as torres de mármore, e o setentrional reino estígio tombou em fogo e ruína.

No entanto, enquanto devastavam as ruas da cidade, ceifando seus arqueiros como milho pronto para a colheita, Thugra Khotan ingerira um estranho e terrível veneno, e seus sacerdotes mascarados o trancaram em uma tumba que ele próprio preparara. Seus devotos morreram em torno dela em um holocausto escarlate, mas os bárbaros não conseguiram arrombar a porta, nem mesmo danificar a estrutura com marretas ou fogo. Então cavalgaram para longe, deixando a grande cidade em ruínas e o domo no qual dormia Thugra Khotan intocado. Os lagartos da desolação se encarregaram de roer os pilares desmoronados, enquanto o próprio rio que regava a terra secava, se afundando nas areias do deserto.

Muitos ladrões tentaram obter o tesouro que as fábulas sugeriam estar empilhado em volta dos ossos podres no interior do domo. Vários deles morreram às suas portas, enquanto outros tantos se viram atormentados por sonhos monstruosos, para enfim morrerem com a espuma da loucura escorrendo pelos lábios.

Por isso Shevatas estremecia ao encarar a tumba, e seu tremor não era causado apenas pela lenda da serpente que diziam guardar os ossos do feiticeiro. O horror e a morte pairavam sobre todos os mitos de Thugra Khotan como uma mortalha. De onde estava, o ladrão podia ver as ruínas de um grande salão, no qual centenas de prisioneiros acorrentados eram postos de joelhos durante os festivais, apenas para terem a cabeça decepada pelo rei-sacerdote em honra a Set, o deus serpente da Estígia. Em algum lugar ali perto ficara o poço, escuro e terrível onde vítimas eram entregues para uma monstruosidade amorfa e inominável saída das profundezas infernais. Segundo as lendas, Thugra Khotan era mais do que humano e continuava sendo adorado por um culto vil de asseclas que imprimiam sua imagem em moedas, a fim de pagar a passagem de seus mortos pelo grande rio negro do qual o Estige não passava de uma sombra material. Shevatas vira tal imagem em moedas roubadas debaixo das línguas dos mortos, e ela ficara indelevelmente gravada em seu cérebro.

No entanto, ele deixou os temores de lado e se adiantou até a porta de bronze, cuja superfície lisa não apresentava nenhum trinco ou maçaneta. Não foi à toa que obtivera acesso a cultos sombrios, que ouvira os sussurros soturnos dos devotos de Skelos debaixo de árvores à meia-noite e lera os tomos proibidos encadernados em ferro de Vathelos, o Cego.

Ajoelhando-se diante do portal, tateou o batente com os dedos ágeis, encontrando saliências pequenas demais para o olho detectar ou dedos menos hábeis descobrirem. Pressionou-as com cuidado, seguindo um sistema peculiar e murmurando um encantamento havia muito esquecido. Ao pressionar a última saliência, se pôs de pé com impressionante rapidez e atingiu o exato centro da porta com um golpe preciso da palma da mão.

Não houve o ranger de molas e nem de dobradiças, mas a porta se abriu para dentro, e o ar sibilou explosivamente através dos dentes cerrados de Shevatas. Um pequeno corredor estreito foi revelado. A porta deslizara por ele, se encaixando na outra extremidade. O piso, o teto e as laterais da abertura em forma de túnel eram de marfim, e de um buraco em um dos lados surgiu, se contorcendo, um horror silencioso que se ergueu e fitou o intruso com pavorosos olhos brilhantes... uma serpente de seis metros de comprimento e reluzentes escamas iridescentes.

O ladrão não perdeu tempo conjecturando que profundezas abismais abaixo do domo haviam provido sustento para aquele monstro. Cuidadosamente desembainhou a espada de cuja lâmina pingava um líquido esverdeado semelhante àquele que escorria pelas presas curvas, em forma de cimitarra, do réptil. A lâmina fora mergulhada em veneno igual ao da serpente, e a mera obtenção dele, nos pântanos assombrados pelos demônios de Zíngara, já fora por si só uma saga.

Shevatas avançou cautelosamente na ponta dos pés, os joelhos ligeiramente dobrados, prontos para saltar com a velocidade de um raio, fosse para que lado fosse. E ele precisou de toda a sua velocidade coordenada quando a serpente arqueou o pescoço e deu o bote, arremetendo com toda a extensão de seu corpo. Apesar da celeridade e frieza, Shevatas só não morreu ali mesmo por pura sorte. Seus planos tão bem calculados de se desviar para o lado e atacar o pescoço estendido foram frustrados pela rapidez atordoante do réptil. O ladrão teve apenas tempo de estender a espada à frente, involuntariamente fechar os olhos e gritar. Em seguida, a espada foi arrancada de sua mão, e o corredor foi tomado pelos terríveis ruídos de corpos se debatendo e se contorcendo.

Abrindo os olhos, surpreso por ainda se ver vivo, Shevatas viu o monstro arfar e retorcer sua forma repulsiva em incríveis contorções, a espada transpassando as gigantescas mandíbulas. Puro acaso a fizera se arremessar contra a lâmina estendida às cegas. Poucos segundos depois, a serpente se encaracolou em torno de si mesma, trêmula, enquanto o veneno da lâmina fazia efeito.

Passando por cima dela com cuidado, o ladrão empurrou a porta, que desta vez deslizou para o lado, revelando o interior do domo. Shevatas deu um grito. Em vez de escuridão absoluta, deu de cara com uma luz carmesim que pulsava quase além da capacidade dos olhos mortais. Vinha de uma enorme joia vermelha posicionada no alto do arco abobadado, e Shevatas ficou boquiaberto, a despeito de sua familiaridade com riquezas. O tesouro estava ali, amontoado em uma quantidade impressionante... pilhas de diamantes, safiras, rubis, turquesas, opalas, esmeraldas; zigurates de jade, azeviche e lápis-lazúli; pirâmides de ouro, lingotes com prata, espadas com cabos cravejados de joias em bainhas de ouro; capacetes dourados com crinas de cavalos tingidas, ou plumas escarlates e pretas; corseletes escamados de prata; armaduras incrustadas de pedras preciosas, usadas por reis guerreiros em suas tumbas três mil anos antes; taças esculpidas de uma única joia; crânios revestidos de ouro, com selenitas nas órbitas; colares de dentes humanos cravejados de joias. Polegadas de pó dourado recobriam em camadas o chão de marfim, reluzindo sob o brilho escarlate de um milhão de luzes cintilantes. O ladrão ficou estático naquela terra mágica e esplendorosa, suas sandálias pisando em estrelas.

Contudo, seus olhos estavam focados na plataforma de cristal que se erguia em meio àquela cintilante exibição, diretamente abaixo da joia vermelha, e sobre a qual deveriam estar repousando os ossos podres, se transformando em pó com o passar dos séculos. E, enquanto Shevatas olhava, o sangue foi drenado de suas feições escuras. Sua medula virou gelo, e a pele das costas se enrugou de pavor, ao passo que os lábios se moviam sem produzir som. De repente, encontrou a voz para um único e pavoroso grito, que ressoou de forma hedionda pelo domo abobadado. Então, mais uma vez, o silêncio das eras voltou a cair sobre as ruínas misteriosas de Kuthchemes.

II

Rumores se espalhavam pelas planícies até as cidades hiborianas. As notícias eram retransmitidas ao longo das caravanas, compridas filas de camelos avançando lentamente pelas areias, conduzidas por homens magros, com olhos falconídeos e vestindo kaftans brancos. Elas passaram pelos pastores de narizes aduncos que viviam nos campos e chegaram aos moradores das tendas nas atarracadas cidades de pedra, onde reis de encaracoladas barbas preto-azuladas adoravam deuses barrigudos com curiosos rituais. A novidade circundou as colinas, onde membros esquálidos de tribos cobravam tributos das caravanas. Os rumores chegaram aos planaltos férteis, onde cidades imponentes se erguiam sobre rios e lagos; eles marcharam pelas estradas brancas e largas, apinhadas de carros de bois, rebanhos mugindo, mercadores ricos, cavaleiros de armadura, arqueiros e sacerdotes.

Os rumores vinham do deserto que ficava ao leste da Estígia e ao extremo sul das colinas de Koth. Um novo profeta surgira em meio aos nômades. Os homens falavam de guerras tribais, de uma reunião de abutres no sudoeste, e de um terrível líder que levava as rodas em rápido crescimento à vitória. Os estígios, sempre uma ameaça às nações setentrionais, aparentemente não estavam ligados ao movimento, pois reuniam exércitos nas fronteiras ao leste enquanto seus sacerdotes recorriam à magia para combater àquela do feiticeiro do deserto, a quem os homens chamavam de Natohk, o velado, por ter suas feições sempre encobertas.

Contudo, a maré seguiu para o nordeste, e os reis de barba preto-azulada morreram diante dos altares de seus deuses barrigudos, com suas cidades de pedra tingidas de sangue. Os homens disseram que os planaltos hiborianos eram a meta de Natohk e seus mântricos asseclas.

Ataques vindos do deserto não eram incomuns, mas o recente movimento parecia prometer mais do que uma simples investida. Os boatos eram de que Natohk tinha reunido trinta tribos nômades e quinze cidades sob sua liderança, e que um príncipe estígio rebelde se juntara a ele. Este último foi o que conferiu ao caso o aspecto de uma verdadeira guerra.

Caracteristicamente, a maior parte das nações hiborianas tendia a ignorar a crescente ameaça. Mas em Khoraja, que fora arrancada das mãos semitas pelas espadas dos aventureiros de Koth, o espírito era de cautela. Como ficava a sudoeste de Koth, ela sofreria toda a fúria da invasão, e seu jovem rei fora feito prisioneiro do traiçoeiro rei de Ophir, que hesitava entre devolvê-lo ao poder em troca de um polpudo resgate ou entregá-lo ao inimigo, o avarento rei de Koth, que oferecia um vantajoso tratado no lugar de ouro. Enquanto isso, o governo do reino fatigado passara às mãos pálida da jovem princesa Yasmela, irmã do rei.

Menestréis cantavam sobre a beleza de Yasmela por todo o mundo ocidental, e ela se orgulhava de fazer parte de uma dinastia real. Entretanto, naquela noite, seu orgulho lhe fora arrancado como um manto puxado. Em seu quarto, formado por um domo de lápis-lazúli no teto e decorado com raras peles no chão de mármore e detalhes em ouro nas paredes, dez moças de membros delgados, ornados por braceletes e tornozeleiras incrustadas de joias, todas filhas de nobres, dormiam em divãs de veludo ao lado da cama real, com estrado dourado e dossel de seda. Mas a princesa Yasmela não descansava na cama macia. Estava nua, deitada de bruços sobre o mármore frio como uma suplicante abatida, os cabelos negros lhe recobrindo os ombros pálidos e os dedos magros entrelaçados. Ela se contorceu horrorizada, sentindo o sangue congelar nos braços macios. Os olhos lindos se dilataram e as raízes da cabeleira negra se arrepiarem, enviando calafrios espinha abaixo.

Acima dela, no canto mais escuro da câmara de mármore, uma sombra vasta e amorfa a espreitava. Não era uma coisa viva, de carne e sangue. Era um coágulo de trevas, um borrão, um monstro íncubo, nascido na noite que poderia ter sido fruto de um cérebro entorpecido pelo sonho, não fossem os pontos amarelos e chamejantes brilhando como dois olhos na escuridão.

Além disso, uma voz vinha daquele horror — um sibilar grave e sutilmente inumano, que mais soava como o abominável silvo de uma serpente e parecia irreplicável por qualquer coisa que tivesse lábios humanos. O som encheu Yasmela de terror tanto quanto seu significado, uma sensação tão intolerável que a fez se encolher e se contorcer, como se experimentasse o açoite, buscando livrar a mente da insidiosa vilania por meio das contorções físicas.

— Está marcada para ser minha, princesa — disse o sussurro. — Antes de acordar do meu longo repouso, eu a havia marcado e a desejado, mas estava preso ao antigo feitiço que me livrou dos meus inimigos. Eu sou a alma de Natohk, o velado! Olhe para mim, princesa! Em breve me verá na forma corpórea e, então, haverá de me amar!

O sibilar fantasmagórico se transformou em uma risada lasciva, e Yasmela gemeu, com seus punhos frágeis golpeando as placas de mármore, em meio a um surto de horror.

— Eu durmo na câmara do palácio de Akbatana — prosseguiu o silvo. — Lá, meu corpo jaz em sua moldura de carne e ossos. Mas é uma casca vazia, da qual meu espírito voou por um breve período. Se pudesse ver além da janela do palácio, enxergaria a futilidade que é resistir. O deserto é um jardim de rosas sob a luz da lua, onde floresce o fogo de cem mil guerreiros. Como uma avalanche que avança, ampliando sua massa e velocidade, eu varrerei as terras dos meus inimigos ancestrais. Os crânios dos seus reis serão usados como taças, suas mulheres e crianças serão escravos dos escravos dos meus escravos. Após todos esses anos adormecido, estou mais forte...

"Mas você será minha rainha, ó princesa! Eu lhe ensinarei antigos e esquecidos modos de prazer! Nós... — Diante a torrente de obscenidades cósmicas proferida por aquela forma sombria, Yasmela se contraía e se retorcia, como se chicote lhe vergastasse a delicada pele nua. — Lembre — sussurrou o horror. — Não demorará muito até que eu venha reivindicar o que me pertence!"

Yasmela, pressionando o rosto contra o piso, apertou as orelhas rosadas com os dedos delicados, mas, mesmo assim, pareceu escutar um ruído singular, como o bater das asas de um morcego. Em seguida, receosamente erguendo o olhar, viu apenas a lua refletindo através da janela um feixe que, como uma espada prateada, repousou no local onde o fantasma a espreitara. Trêmula, se pôs de pé e cambaleou até o divã de cetim, onde se deixou cair e chorou histericamente. As moças dormiam, exceto por uma, que despertou, bocejou e espreguiçou o corpo delgado, piscando algumas vezes. No mesmo instante, avistou Yasmela e se ajoelhou ao seu lado, a envolvendo ao redor da cintura magra com os braços.

— Foi ele... foi ele...?

Seus olhos escuros estavam arregalados de medo. Yasmela a agarrou convulsivamente.

— Ah, Vateesa. Ele veio de novo. Eu o vi... Escutei ele falar! Disse-me o seu nome... Natohk! É Natohk! Não é um pesadelo. Ele se avolumou diante de mim, enquanto as garotas dormiam como se estivessem drogadas. O que devo fazer?

Vateesa girou um bracelete dourado no braço, meditando.

— Ah, princesa — disse ela. — É evidente que nenhum poder mortal poderá lidar com isso, e o talismã que os sacerdotes de Ishtar lhe deram é inútil. Sendo assim, procure o oráculo esquecido de Mitra.

Apesar de todo o pavor recente, Yasmela estremeceu. Os deuses de ontem são os diabos de amanhã. Os kothianos há muito haviam abandonado a adoração à Mitra, se esquecendo dos atributos do deus universal dos hiborianos. Yasmela tinha uma vaga ideia de que, sendo tão antiga, aquela deveria ser uma terrível divindade. Ishtar também era temida, assim como todos os deuses de Koth. A cultura e a religião kothiana tinham sofrido uma sutil combinação de crenças semitas e estígias. Os modos simples dos hiborianos se modificaram em grande medida pelos hábitos sensuais e luxuriosos, apesar de também despóticos, do oriente.

— Mitra vai me ajudar? — Tomada de ansiedade, Yasmela agarrou o pulso de Vateesa. — Há tanto tempo que adoramos Ishtar...

— Com certeza ajudará! — Vateesa era filha de um sacerdote de Ophir e trouxera consigo suas tradições quando fugira de inimigos políticos para Khoraja. — Procure o santuário! Eu a acompanharei.

— Farei isso. — Yasmela se levantou, mas protestou quando Vateesa se preparou para vesti-la. — Não é apropriado que eu busque o santuário vestindo seda. Irei nua, de joelhos. Como convém uma suplicante. Caso contrário, Mitra poderá pensar que careço de humildade.

— Bobagem! — Vateesa tinha pouco respeito por comportamentos cultistas que via como sendo falsos. — Mitra prefere que as pessoas estejam de pé à sua frente, não rastejando como vermes com as barrigas coladas ao chão, ou derramando o sangue de animais nos altares.

Assim convencida, Yasmela permitiu que a moça lhe pusesse um vestido leve de seda, sem mangas, sobre o qual vestiu uma túnica também de seda, arrematada na cintura por um laço de veludo. Calçou chinelos de cetim, e com dedos hábeis Vateesa lhe arrumou os cabelos ondulados. Logo depois, a princesa seguiu a moça, que puxou para o lado uma pesada tapeçaria, com detalhes em fios de ouro, e abriu o trinco dourado que ela escondia. A passagem levava a um corredor estreito e sinuoso, o qual as duas moças cruzaram rapidamente, até atravessarem mais uma porta que se abria a um amplo saguão. Lá havia uma sentinela trajada com capacete e colete dourados, segurando um enorme machado de guerra.

Um simples movimento de Yasmela conteve a exclamação de surpresa do guarda, e, após saudá-la, ele retomou a vigilância ao lado da porta, imóvel como uma estátua de bronze. A duas moças atravessaram o saguão, que parecia ser imenso e sinistro à luz dos fogaréus nas altas paredes, e desceram por uma escadaria que fez Yasmela estremecer diante dos borrões das sombras que apareciam nas curvas das paredes. Três lances abaixo elas pararam diante de um estreito corredor, que tinha um teto côncavo incrustado de joias, um chão feito de blocos de cristal e paredes decoradas com frisos de ouro. Atravessaram aquela vereda reluzente de mãos dadas, até chegarem a uma grande porta dourada.

Vateesa a abriu, revelando um santuário havia muito esquecido, senão pelos poucos fiéis e visitantes nobres que vinham à corte de Khoraja, principal motivo pelo qual o templo ainda era mantido. Yasmela nunca havia entrado ali, mesmo tendo nascido no palácio. Simples e sem adornos quando comparado aos suntuosos altares de Ishtar, tinha a austeridade digna e bela, típica do culto à Mitra.

O teto era alto, mas não na forma de um domo, feito de simples mármore branco, assim como o chão e as paredes, que traziam um friso de ouro ao longo de toda a sua extensão. Atrás de um altar feito de puro jade verde, livre das máculas do sacrifício, havia um pedestal ocupado pela manifestação material da divindade. Yasmela se admirou com a largura dos ombros magníficos, os traços firmes os olhos grandes, a barba patriarcal, os cachos grossos dos cabelos, presos por uma simples tira em volta das têmporas. Embora não soubesse, aquilo era arte em sua forma mais elevada — a expressão livre de uma raça detentora de alto padrão estético, sem a obstrução do simbolismo convencional.

Yasmela se jogou no chão de joelhos e se prostrou, apesar das advertências de Vateesa que, ao seu lado, acabou, por via das dúvidas, seguindo o exemplo da princesa. Afinal, ela não passava de uma jovem no interior do fabuloso santuário de Mitra. Mesmo assim, não pôde conter um sussurro no ouvido de Yasmela.

— Não passa de um símbolo do deus. Ninguém sabe qual é a real aparência de Mitra. É apenas uma representação humana idealizada, tão perfeita quanto a inspiração humana foi capaz de conceber. Ele não habita esta pedra fria, como os seus sacerdotes dizem que é o caso com sua deusa Ishtar. Está em todo lugar... acima de nós, e ao nosso redor, e, por vezes, repousa sonhador no ponto mais alto em meio às estrelas. Mas, aqui, sua essência está focalizada. Portanto, pode chamá-lo.

— O que eu digo? — sussurrou Yasmela, gaguejando de medo.

— Antes que possa falar, Mitra saberá o que se passa na sua cabeça — advertiu Vateesa.

Nesse momento, ambas as moças se assustaram, olhando ao redor, quando uma voz ecoou pelo ar. Os tons graves, calmos e harmoniosos não emanavam mais da imagem do que de qualquer outro ponto da câmara. Yasmela voltou a estremecer quando outra voz sem corpo se dirigiu a ela, mas, desta vez, não causava horror e nem repulsa.

— Nada diga, minha filha, pois conheço a sua necessidade. — A voz soou como profundas ondas musicais em uma batida ritmada ao longo de uma praia dourada. — Só há uma maneira de salvar o seu reino, e, ao fazer isso, salvará também todo o mundo das presas da serpente que rastejou para fora da escuridão das eras. Caminhe sozinha pelas ruas e deposite o destino do seu reino nas mãos do primeiro homem que encontrar.

Os tons desapareceram sem deixar qualquer eco, e as garotas se entreolharam. Em seguida, ficaram de pé e partiram, sem trocar quaisquer palavras até estarem de volta ao quarto de Yasmela. Através da janela com grades douradas, a princesa olhou para fora. Fazia muito tempo que a meia-noite ficara para trás. O som das folias tinha morrido nos jardins e terraços da cidade. Khoraja repousava sob as estrelas, que pareciam estar refletidas nos fogaréus que bruxuleavam nos jardins, ao longo das ruas e nos telhados planos das casas onde a população dormia.

— O que vai fazer? — sussurrou Vateesa, trêmula.

— Pegue o meu manto! — ordenou Yasmela, cerrando os dentes.

— Mas... sozinha nas ruas... a esta hora! — alertou Vateesa.

— Mitra falou — retrucou a princesa. — Pode ter sido a voz do deus, ou um truque de um sacerdote. Não importa. Eu obedecerei.

Envolvendo o corpo esbelto em um volumoso manto de seda e vestindo um capuz de veludo do qual pendia um véu transparente, ela cruzou velozmente os corredores e chegou a uma porta de bronze, onde uma dúzia de lanceiros a fitaram boquiabertos quando ela passou. Era uma ala do palácio que levava diretamente até a rua. De todos os outros lados ele era cercado por amplos jardins, contornado por muros altos. Ela saiu para a rua, iluminada por fogaréus dispostos em intervalos regulares.

Ela hesitou, e então, antes que sua determinação esmorecesse, fechou a porta atrás de si. Foi acometida por um leve tremor quando olhou para a rua, silenciosa e vazia de ponta a ponta. Aquela filha de aristocratas jamais havia se aventurado sozinha para fora de seu palácio ancestral. Tomando coragem, ela começou a subir rapidamente a rua. Seus chinelos de cetim tocavam de leve a calçada, mas mesmo os sons suaves produzidos por eles levaram o coração dela à garganta. Imaginou seus passos ecoando como trovões por toda a cidade cavernosa, despertando figuras maltrapilhas escondidas em covis entre os esgotos. Cada sombra parecia ocultar um assassino à espreita, e cada porta, os furtivos cães das trevas.

Então, um violento sobressalto se apossou de seu corpo. Uma figura apareceu diante dela na rua lúgubre. Com o coração acelerado, se escondeu rapidamente nas sombras que naquele momento lhe pareciam um refúgio seguro. O homem que se aproximava não vinha furtivo como um gatuno, nem tímido como um viajante temeroso. Caminhava como alguém que não tem desejo nem necessidade de ser suave ao avançar. Havia uma arrogância inconsciente em suas passadas, que reverberavam no pavimento. Ele passou ao lado de um fogaréu, e ela pôde vê-lo mais distintamente... um homem alto, trajando a típica cota de malha dos mercenários. Tomando coragem, ela saiu das sombras, apertando com firmeza o manto ao seu redor.

— Alto lá!

A espada do homem saiu até a metade da bainha. Interrompeu o movimento assim que notou que se tratava apenas de uma mulher diante de si, mas seu olhar atento passou por cima da cabeça dela, examinando as sombras em busca de possíveis comparsas.

Ele se pôs a encará-la, com a mão ainda sobre o punho da espada, projetado para fora do manto escarlate que esvoaçava ligeiramente e estava preso aos ombros protegidos pela cota de malha. A luz do fogaréu reluzia fastidiosamente no aço azul lustroso de seu elmo. Um fogo mais ameaçador ardia no azul de seus olhos. Na mesma hora, Yasmela se deu conta de que ele não era de Koth. Quando ele falou, a princesa soube que não era hiboriano. O homem estava trajado como um capitão dos mercenários, e naquele destacamento havia homens de muitas terras, estrangeiros bárbaros e civilizados. Olhos de nenhum homem civilizado, por mais brutal ou criminoso que este fosse, brilhavam com tamanho fulgor. Seu hálito cheirava a vinho, mas ele não cambaleava nem gaguejava.

— Foi jogada para fora de casa? — perguntou ele em um Kothiano rude, estendendo o braço na direção dela. Seus dedos envolveram levemente o pulso arredondado de Yasmela, e, apesar da tentativa de serem delicados, ela sentiu que poderiam partir seus ossos sem o menor esforço. — Estou vindo da última taverna aberta. Que Ishtar amaldiçoe esses reformistas de fígado branco que fecham os lugares para beber! "Deixem os homens dormirem em vez de beberem", dizem.... Sim, para que possam lutar e

O COLOSSO NEGRO

trabalhar mais para os seus mestres! Eu digo que não passam de eunucos afeminados. Quando servi com os mercenários de Corinthia, bebíamos e nos divertíamos com meretrizes a noite toda e lutávamos o dia inteiro, o sangue vertendo das nossas lâminas. Mas, e você, garota? Tire essa maldita máscara...

Com uma torção do corpo, Yasmela se livrou da pegada dele, tentando não deixar transparecer a repulsa que ele lhe causava. Sabia do perigo que corria, sozinha com um bárbaro bêbado. Se revelasse sua identidade, ele poderia rir dela ou ir embora. Não tinha garantias de que ele não lhe cortaria a garganta. Homens bárbaros faziam coisas estranhas e inexplicáveis. Enfrentou o medo que ameaçava crescer.

— Não aqui. — Ela soltou uma risada. — Venha comigo...

— Aonde? — O álcool podia ter lhe subido à cabeça, mas ele continuava desperto como um lobo. — Está me levando para algum covil de ladrões?

— Não, eu juro que não!

Ela teve dificuldade em evitar a mão que buscava lhe tirar o véu.

— Para o diabo com você, mulher! — grunhiu o bárbaro, desgostoso. — Parece as malditas hirkanianas com esse véu. Venha cá... me deixe ver o seu corpo!

Antes que a princesa pudesse evitar, ele arrancou o manto, e Yasmela lhe escutou o ar sibilando por entre os dentes cerrados. O bárbaro ficou parado ali, estático, segurando o tecido, a encarando, como se a visão de seus trajes houvesse lhe devolvido a sobriedade. A jovem pôde perceber a expressão de desconfiança no olhar dele.

— Quem é você? — murmurou o bárbaro. — Não é nenhuma menina de rua... a não ser que seu amante tenha roubado essas roupas do harém do rei.

— Não importa. — Com a mão alva, ela ousou tocar no braço maciço coberto pela cota de malha. — Vamos sair da rua.

Ele hesitou, depois deu de ombros. Yasmela supôs que ele talvez visse nela uma moça nobre que, cansada de amantes polidos, buscava diversão. O mercenário permitiu que ela se enrolasse novamente no manto e a seguiu. Com um olhar de esguelha, ela o vigiou enquanto desceram a rua lado a lado. A cota de malha não era o suficiente para ocultar os volumes sólidos da força tigrina do homem. Tudo nele tinha uma qualidade felina, elementar e selvagem. Ele era tão estranho para ela quanto uma selva, tão diferente dos cortesões afáveis ao quais estava habituada. Ela o temia. Procurou se convencer de que desprezava toda aquela força bruta e aquele barbarismo indômito, porém alguma coisa ofegante e perigosa em seu íntimo se atraía a ele. Aquele acorde oculto e primitivo que espreita na alma de toda mulher havia sido tocado. Sentira a mão bruta em seu braço, e, em seu âmago, algo estremecia ao se lembrar do contato. Muitos homens já haviam se ajoelhado diante de Yasmela, mas ali estava um que ela pressentia que jamais se ajoelhara para ninguém. A sensação que tinha era a de estar conduzindo um felino sem a coleira. Estava assustada, mas também fascinada pelo medo.

A moça parou diante da porta do palácio e se recostou levemente nela. Ao observar furtivamente o companheiro, não viu sinal de desconfiança em seus olhos.

— O palácio, não é? — resmungou o bárbaro. — Então é uma dama de companhia?

Com um inexplicável tipo de ciúme, Yasmela se perguntou se alguma de suas damas de companhia já levara aquele guerreiro para o palácio. Os guardas não fizeram objeção quando ela o conduziu por entre eles, mas o estranho os encarou com o mesmo olhar feroz que um cão lança para uma matilha estranha. Ela o conduziu por uma soleira demarcada por uma cortina até o interior de uma câmara, onde ele ficou ingenuamente observando as tapeçarias. Ao ver uma jarra de cristal cheia de vinho sobre uma mesa de ébano, a pegou e bebeu, suspirando e estalando os lábios de satisfação. Vateesa emergiu de uma antecâmara, correndo ofegante.

— Ah, minha princesa...

— Princesa!

A jarra de vinho se espatifou no chão. Com um movimento rápido demais para ser acompanhado pelos olhos, o mercenário arrancou o véu de Yasmela e, em seguida, recuou praguejando, a espada desembainhada reluzindo na mão. Seus olhos ardiam como os de uma fera acuada. O ar ficou carregado de tensão, como a calmaria que precede a tempestade. Vateesa caiu de joelhos, apavorada e incapaz de falar, mas, sem hesitar, Yasmela encarrou o bárbaro. Deu-se conta de que sua vida corria risco. Ensandecido pela desconfiança e pelo pânico irracional, ele estava pronto para matá-la ante a menor das provocações. Isso não a impediu de sentir certa emoção diante do perigo.

— Não tenha medo — disse. — Sou Yasmela, mas não há motivo para me temer.

— Por que me trouxe aqui? — rosnou o homem, os olhos examinando o quarto à sua volta. — Que tipo de armadilha é esta?

— Não há trapaça aqui — respondeu ela. — Eu o trouxe até aqui porque você pode me ajudar. Eu pedi ajuda aos deuses... a Mitra... que falou para eu ir até a rua e pedir ajuda para o primeiro homem que eu encontrasse.

Isso era algo que ele podia compreender. Os bárbaros tinham os próprios oráculos. Abaixou a espada, mas não a embainhou.

— Se você é mesmo Yasmela, realmente precisa de ajuda — grunhiu ele. — Seu reino está uma verdadeira bagunça. Mas como posso ajudá-la? Se quiser que eu corte alguma garganta, é claro que...

— Sente, por favor — pediu a princesa. — Vateesa, nos traga vinho.

O bárbaro obedeceu com cautela, notou Yasmela, se sentando com as costas voltadas para uma parede maciça, de onde poderia observar a câmara toda. Depositou a espada desembainhada sobre os joelhos. Ela a fitou, fascinada. O ligeiro brilho azulado parecia refletir histórias de saques e derramamento de sangue. Yasmela duvidava ser capaz de erguê-la, no entanto sabia que o mercenário era capaz de manuseá-la com apenas uma das mãos, com a mesma facilidade com que ela manuseava um chicote de equitação. Notou a largura e o poder das mãos dele. Não eram as patas mal desenvolvidas de um troglodita. Com um calafrio de culpa, se flagrou imaginando aqueles dedos fortes nos cabelos pretos dela.

Ele pareceu se tranquilizar quando ela se sentou em um divã de cetim diante dele. O homem retirou o elmo e o depositou sobre a mesa, retirando em seguida o barrete e permitindo que os cachos recaíssem sobre os ombros largos. Com isso ela pôde enxergar melhor o quanto as feições diferiam das raças hiborianas. No rosto escuro, coberto por cicatrizes, havia uma insinuação de mau humor e, ainda que não fossem marcadas por depravação ou maldade, suas feições sugeririam algo sinistro, realçado pelos ardentes olhos azuis. A testa larga era coroada por uma cabeleira de corte quadrado, negra como as asas de um corvo.

— Quem é você? — perguntou a jovem abruptamente.

— Conan, capitão dos lanceiros mercenários — respondeu o bárbaro, esvaziando em um só gole o cálice de vinho e o estendendo para pedir mais. — Nasci na Ciméria.

O nome pouco significava para ela. Sabia vagamente se tratar de um país montanhoso, selvagem e lúgubre que ficava no extremo norte, além dos postos fronteiriços mais distantes das nações hiborianas, povoado por uma raça feroz e taciturna. Jamais havia visto um deles.

Repousando o queixo nas mãos, ela o encarou com seus profundos olhos azuis, que já haviam escravizado o coração de muitos.

— Conan da Ciméria — falou —, você disse que eu precisava de ajuda. Por quê?

— Bem — respondeu ele. —, qualquer um pode enxergar isso. O rei, seu irmão, está em uma prisão em Ophir. Koth trama para escravizá-los. Há um feiticeiro provocando destruição e um fogo infernal em Sem... e, o pior, aqui, seus soldados desertam todos os dias.

Ela não o interrompeu uma única vez. Era uma nova experiência ter um homem se dirigindo a ela de modo tão direto, sem que as palavras fossem acolchoadas em frases afáveis.

— Por que meus soldados estão desertando, Conan? — perguntou.

— Alguns estão sendo contratados por Koth — explicou ele, prazerosamente estendendo a mão para a jarra de vinho. — Muitos acham que Khoraja está com os dias contados como estado independente. Muitos estão assustados com as histórias desse cão, Natohk.

— Os mercenários permanecerão do meu lado? — indagou Yasmela, ansiosa.

— Enquanto continuar nos pagando bem — foi a resposta sincera. — Suas políticas não nos interessam. Pode confiar em Amalric, o nosso general, mas o resto de nós somos apenas homens comuns que adoram saquear. Se pagar o resgate pedido por Ophir, dizem que não terá dinheiro para nos pagar. Nesse caso, poderemos passar para o lado do rei de Koth, embora eu não goste nem um pouco daquele cão sarnento. Ou podemos saquear esta cidade. Em uma guerra civil, a pilhagem é sempre abundante.

— Por que não passariam para o lado de Natohk?

— E como ele nos pagaria? Com ídolos barrigudos de latão, pilhados das cidades semitas? Enquanto você estiver combatendo Natohk, poderá confiar em nós.

— Seus companheiros o seguiriam?

— Como assim? O que quer dizer?

— Quero dizer que vou torná-lo comandante dos exércitos de Khoraja — respondeu ela, de forma deliberada.

Ele congelou com a taça nos lábios, que se curvaram em um amplo sorriso. Seus olhos arderam com um novo brilho.

— Comandante? Crom! Mas o que dirão os seus nobres perfumados?

— Eles me obedecerão! — Ela bateu palmas, convocando um escravo, que adentrou a câmara fazendo uma profunda mesura. — Mande o conde Thespides vir me ver imediatamente, assim como o chanceler Taurus, o lorde Amalric e o agá[4] Shupras. — Voltando-se para Conan, que estava devorando a comida posta à sua frente por uma trêmula Vateesa, ela disse: — Deposito minha confiança em Mitra. Já viu muitas guerras?

— Eu nasci em um campo de batalha — respondeu o cimério, arrancando um naco de carne de uma enorme coxa. — O primeiro som que meus ouvidos escutaram foi o clangor de espadas e os gritos de guerreiros. Lutei em feudos de sangue, guerras tribais e campanhas imperiais.

— Mas é capaz de liderar homens em uma frente de batalha?

— Bom, posso tentar — retrucou ele impassivelmente. — Não passa de um combate de espadas em uma escala maior. Você se prepara, estoca e corta! Depois, ou cai a cabeça do inimigo, ou cai a sua.

O escravo retornou, anunciando a chegada dos homens que fora buscar, e Yasmela se dirigiu à câmara externa, fechando as cortinas de veludo atrás de si. Evidentemente surpresos por terem sido convocados àquela hora da noite, os nobres se ajoelharam ante a chegada dela.

— Eu os convoquei aqui para lhes comunicar uma decisão — disse Yasmela. — O reino corre perigo...

— Sem dúvida, minha princesa. — Foi o conde Thespides que se manifestou, um homem alto, cujos cabelos negros eram

---

4 Agá é um título honorífico, típico de regiões muçulmanas, dado a chefes militares. (N. E.)

encaracolados e perfumados. Com uma das mãos brancas, alisou o bigode pontiagudo, enquanto a outra segurava um chapéu de veludo com uma pena escarlate presa por uma fivela dourada. Seus sapatos de bico fino eram de cetim, e a túnica de veludo, bordada em ouro. Tinha trejeitos ligeiramente afetados, mas a musculatura sob a seda era rija como o aço. — Seria bom oferecer mais ouro para Ophir, em troca da libertação do seu irmão.

— Discordo completamente! — interrompeu Taurus, o chanceler, um homem mais velho que trajava um manto de arminho franjado e cujos traços traziam as marcas de longos anos de serviço. — Nós já propusemos uma quantia que trará pobreza para o nosso reino se for pago. Oferecer mais apenas atiçará a cobiça de Ophir. Minha princesa, repito o que eu já disse. Ophir não se moverá enquanto não decidirmos ir de encontro à horda invasora. Se perdermos, entregarão o rei Khossus para Koth. Caso triunfemos, sem dúvida nos devolverão sua majestade, mediante o pagamento do resgate.

— Enquanto isso — pronunciou-se Amalric —, os soldados desertam diariamente e os mercenários estão inquietos, se perguntando por que protelamos em agir. — Era um nemediano, um homem grande de cabeleira amarelada, semelhante à juba de um leão. — Precisamos agir rapidamente.

— Amanhã marcharemos rumo ao sul — respondeu Yasmela. — E, aqui está o homem que os liderará.

Abrindo as cortinas, ela apontou dramaticamente para o cimério. Talvez não fosse o momento mais fortuito para apresentá-lo. Conan estava esparramado na cadeira com os pés apoiados na mesa de ébano, ocupado devorando um naco de carne que segurava com ambas as mãos. Lançou um olhar casual para os nobres espantados, sorriu levemente para Amalric e continuou mastigando, sem disfarçar o prazer.

— Que Mitra nos proteja! — exclamou Amalric. — É Conan, das terras do norte, o mais turbulento de todos os meus assassinos. Eu já o teria enforcado há muito tempo, se não fosse o melhor espadachim a ter vestido uma cota de malha...

— Sua Alteza gosta de brincadeiras — falou Thespides, com o rosto aristocrata ficando mais sombrio. — Esse homem é um selvagem... um sujeito desprovido de cultura e berço! É um insulto pedir que cavalheiros sirvam sob o seu comando! Eu...

— Conde Thespides — interrompeu Yasmela. — A minha luva está sob o seu cinturão. Por favor, devolva antes de partir.

— Partir? Para onde?

— Para Koth, ou para Hades — retrucou a princesa. — Se não me servirá como desejo, não me servirá de modo algum.

— Está me julgando mal, princesa — respondeu o conde, se curvando, profundamente magoado. — Eu não a abandonaria. Pelo seu bem, colocarei a minha espada à disposição deste selvagem.

— E quanto a você, lorde Amalric?

Amalric praguejou baixinho, antes de sorrir. Um autêntico soldado da fortuna, nenhuma mudança em sua sorte, por mais ultrajante que fosse, o surpreendia muito.

— Servirei sob o comando dele. Uma vida curta e divertida é o que sempre digo... e, com Conan, o cortador de gargantas, no comando, a vida provavelmente será divertida e curta. Mitra! Se o cão já comandou mais do que uma companhia de degoladores, juro que o devoro com armadura e tudo.

— E quanto a você, meu agá?

Ela se voltou para Shupras.

Ele deu de ombros, resignado. Era típico das raças que se desenvolveram ao longo das fronteiras meridionais de Koth, alto e magro, com o rosto mais delgado do que seus parentes de puro-sangue do deserto.

— Ishtar provê, princesa.

O fatalismo dos ancestrais dele falava por si.

— Aguardem aqui — ordenou ela e, enquanto Thespides se exasperava e roía o chapéu de veludo, Taurus resmungava baixinho, e Amalric andava de lá para cá, alisando a barba amarela e sorrindo como um leão faminto, Yasmela voltou a desaparecer atrás das cortinas e bateu palmas para chamar os escravos.

Ao seu comando, trouxeram uma armadura para substituir a cota de malha de Conan. Gorjal, couraça, peitoral, ombreiras, caneleiras, botas, perneiras e elmo. Quando a princesa abriu novamente as cortinas, um Conan trajando aço reluzente apareceu diante dos expectadores. Vestindo armadura completa, com o visor erguido e o rosto severo sombreado por plumas negras que oscilavam no topo do capacete, havia algo de impressionante nele, algo de que até mesmo Thespides se dera conta, ainda que a contragosto. Uma piada subitamente morreu nos lábios de Amalric.

— Por Mitra! — disse lentamente o lorde. — Jamais esperei vê-lo trajando armadura completa, mas devo dizer que faz jus a ela. Pelos meus ossos, Conan, já vi reis trajando armadura com menos realeza do que você!

Conan permaneceu calado. Uma vaga sombra cruzou seus pensamentos, como se fosse uma profecia. Recordaria as palavras de Amalric nos anos que estavam por vir, quando o sonho se tornasse realidade.

III

Ao amanhecer, as ruas de Khoraja estavam tomadas por uma multidão que assistia às tropas cavalgando através do portão sul. Por fim, o exército estava em movimento. Os cavaleiros brilhavam em suas placas peitorais ricamente forjadas, as plumas tingidas oscilando no topo dos elmos lustrosos. Os corcéis enfeitados com seda, couro laqueado e fivelas douradas davam voltas concêntricas e se curvavam quando seus montadores os punham em marcha. A luz matinal reluzia nas pontas das lanças erguidas como uma floresta acima da força militar, com seus penachos soprados pela brisa. Cada cavaleiro usava o símbolo de uma dama — uma luva, um lenço ou uma rosa — preso ao elmo ou ao cinturão da espada. Era a cavalaria de Khoraja, com quinhentos homens liderados pelo conde Thespides, o qual, diziam as más línguas, pretendia pedir a mão da própria Yasmela.

Vinham seguidos por uma cavalaria leve, montando cavalos magros, de pernas compridas. Seus cavaleiros costumavam ser montanheses, esguios, com feições falconídeas, trajando um capacete pontudo na cabeça e uma cota de malha que reluzia por baixo dos esvoaçantes kaftans. Sua principal arma era o temível arco semita, capaz de disparar flechas a uma distância de quinhentos passos. Eram cinco mil em número, e Shupras vinha à frente, o rosto magro e taciturno sob o elmo espiralado.

Logo atrás marchavam os lanceiros de Khoraja, sempre poucos em relação aos outros estados hiborianos, onde os homens viam a cavalaria como o único ramo nobre de serviço. Como os cavaleiros, eles traziam o antigo sangue de Koth nas veias. Quinhentos filhos de famílias arruinadas, homens alquebrados, jovens sem um centavo que não podiam arcar com o custo de cavalos e armaduras.

O COLOSSO NEGRO

Os mercenários vinham na retaguarda. Mil homens a cavalo e dois mil lanceiros. Os cavalos altos da cavalaria pareciam brutos e selvagens, assim como seus cavaleiros. Não davam voltinhas nem se curvavam. Havia um aspecto sinistramente sério naqueles assassinos profissionais, veteranos de campanhas sanguinárias. Vestidos da cabeça aos pés em cotas de malha, usavam capacetes sem visores acoplados sobre barretes. Os escudos eram adornados, e as lanças compridas não tinham estandartes. Traziam arcos, machados de guerra ou maças de aço penduradas nas selas, e cada homem trazia na cintura uma espada. Os lanceiros estavam armados de forma similar, embora portassem lanças menores em relação às da cavalaria.

Eram homens de muitos povos e muitos crimes. Havia hiperbóreanos altos, magros, de ossos largos, fala lenta e natureza agressiva; gunderlandeses de cabelos castanhos, vindos das colinas a noroeste; renegados corínthios arrogantes; zíngaros de compleição escura, com bigodes pretos e temperamentos abrasivos; aquilonianos do oeste distante. Mas, com a exceção dos zíngaros, eram todos hiborianos.

Atrás de todos vinha um camelo ricamente adornado, puxado por um cavaleiro em um grande corcel de guerra e cercado por um conjunto de guerreiros escolhidos a dedo das tropas de casa. Protegida pelo dossel de seda em volta do assento, uma figura magra, vestindo trajes também de seda, vinha montada no animal, e ao vê-la a população, sempre respeitosa ante a realeza, tirava os chapéus e ovacionava em alegria.

Conan, o cimério, agitado na armadura, encarava o camelo adornado com desaprovação e falava com Amalric, que cavalgava a ao seu lado, resplandecente em uma cota de malha tecida com ouro, peitoral dourado e capacete com uma crina de cavalo esvoaçante.

— A princesa quis vir conosco. Ela é ágil, mas delicada demais para este trabalho. De qualquer modo, vai ter que tirar essas roupas.

Amalric retorceu o bigode amarelo para disfarçar um sorriso. Evidentemente, Conan supunha que Yasmela apanharia uma espada e tomaria parte na luta de fato, como era costumeiro entre as mulheres bárbaras.

— As mulheres hiborianas não lutam como as da Ciméria, Conan — falou. — Yasmela cavalgará conosco para assistir à batalha. Mas, cá entre nós... — remexeu-se na sela e abaixou o tom de voz. — Sou da opinião que a princesa não ousa ficar para trás. Ela teme alguma coisa...

— Uma revolta? Quem sabe não é melhor enforcarmos alguns cidadãos antes de partirmos...?

— Não. Uma das damas de companhia dela falou... balbuciou sobre algo que surgiu no palácio durante a noite e deixou Yasmela apavorada além de qualquer razão. É alguma bruxaria de Natohk, creio. Conan, nós lutamos contra algo além de carne e sangue!

— Bem — grunhiu o cimério —, é melhor ir de encontro a um inimigo do que esperar por ele.

Ele olhou para a longa fileira de carroças e camponeses que os seguia, segurou as rédeas e, por força do hábito, pronunciou o lema dos mercenários em marcha:

— O inferno ou o saque, companheiros. Marchem!

Atrás do longo comboio, os pesados portões de Khoraja se fecharam. Cabeças afoitas se alinhavam nas ameias. Os cidadãos sabiam que estavam assistindo à vida ou morte passar diante de seus olhos. Se o exército fosse vencido, o futuro de Khoraja seria escrito em sangue. Misericórdia era uma qualidade desconhecida para as hordas invasoras do selvagem sul.

❂ ❂ ❂

As fileiras marcharam ao longo de todo o dia, cruzando prados de gramíneas entrecortados por pequenos rios, enquanto aos poucos o terreno começava a ficar mais íngreme. Adiante jazia uma cadeia de colinas baixas, formando uma faixa ininterrupta, de leste a oeste. Naquela noite, acamparam nas encostas ao norte das colinas, e homens de narizes aduncos e olhares impetuosos das tribos das montanhas vieram aos montes se agachar perto das fogueiras, repetindo notícias advindas do misterioso deserto. O nome de Natohk rastejava por suas narrativas como uma serpente. A mando dele, os demônios do ar trouxeram trovões, vento e neblina, e as criaturas do submundo sacudiram a terra com seus terríveis rugidos. Ele trouxe fogo do céu e consumiu os portões de cidades muradas, queimando homens até só restarem os ossos calcinados. Seus guerreiros recobriam o deserto com seus vastos números, e ele tinha cinco mil tropas estígias em bigas de guerra sob o comando do príncipe Kutamun.

Conan escutou a tudo sem se perturbar. A guerra era seu ofício. Desde o nascimento, a vida havia sido uma batalha contínua, ou uma série delas, e a morte, uma companheira constante. Ela se espreitava ao seu lado, pairava ao redor de seus ombros junto às mesas de jogatina, tamborilando os dedos ossudos nas taças de vinho. Avolumava-se acima dele, uma sombra monstruosa e encapuzada, sempre que ele se deitava para dormir. Mas ele se importava com sua presença tanto quanto um rei se importa com seu copeiro. Algum dia, ela fecharia o punho ossoso sobre ele, apenas isso. Bastava que sobrevivesse ao presente.

Contudo, outros não sentiam tanta indiferença ao medo. Retornado das fileiras de sentinelas, Conan parou ao ver uma figura encapuzada surgindo à sua frente, com a mão estendida.

— Princesa, você deveria estar na tenda.

— Não consegui dormir. — Seus olhos escuros pareciam assombrados na penumbra. — Tenho medo, Conan.

— Teme algum dos homens nas suas tropas?

A mão do cimério se cerrou ao redor do punho da espada.

— Nenhum homem — balbuciou a princesa. — Conan... existe alguma coisa que você tema?

Ele ponderou a respeito, coçando o queixo.

— Sim — admitiu por fim. — A maldição dos deuses.

Ela estremeceu.

— Eu sou amaldiçoada. Um demônio do abismo pôs a sua marca em mim. Noite após noite, ele me espreita das sombras, sussurrando-me terríveis segredos. Ele vai me arrastar para ser a sua rainha no Inferno. Eu não ouso dormir... Ele virá até mim no meu pavilhão, como veio no palácio. Conan, você é forte. Não me deixe! Tenho medo!

Não era mais uma princesa; era apenas uma jovem aterrorizada. Seu orgulho havia desaparecido, deixando-a despida de vergonha. No pavor frenético, viera até ele, que parecia ser o mais forte. O mesmo poder implacável que a repelira outrora, naquele momento a atraía.

Como resposta, ele retirou a própria capa escarlate, envolvendo a moça com ela bruscamente, como se fosse incapaz de qualquer ternura. Por um instante, a mão de ferro de Conan repousou no ombro delicado da princesa, e ela voltou a estremecer, mas não de medo. Como um choque elétrico, um surto de vitalidade animal a percorreu ante o toque, como se parte da enorme força dele houvesse sido transferida para ela.

— Deite aqui.

Ele apontou para uma ligeira clareira ao lado de uma pequena fogueira tremeluzente. O cimério não via incongruência alguma em uma princesa se deitar no solo descoberto ao lado de uma fogueira, envolvida pela capa de um guerreiro. E ela obedeceu sem questionar.

Ele se sentou em uma pedra ao lado dela, com a espada de lâmina larga sobre os joelhos. Sob a luz do fogo que refletia em sua armadura de aço azulado, parecia um ídolo de aço... o poder dinâmico, por ora, mudo, não descansando, mas imóvel no momento, aguardando o sinal para mergulhar novamente em incrível ação. A luz da fogueira dançava sobre suas feições, as fazendo parecer esculpidas em uma substância rígida como o ferro, porém sombria. Seu rosto estava imóvel, mas os olhos ardiam com feroz vitalidade. Não era um selvagem qualquer; era parte da natureza, um só com os indomáveis elementos da vida. Em suas veias corria o sangue da matilha de lobos, em seu cérebro espreitava as profundezas sorumbáticas da noite setentrional, e seu coração pulsava com as chamas de uma floresta incandescente.

E assim, meio reflexiva, meio sonhadora, Yasmela caiu no sono, envolvida por um delicioso senso de segurança. De algum modo, sabia que nenhuma sombra de olhos chamejantes se curvaria sobre ela na escuridão com aquela silhueta rígida montando guarda ao seu lado. Contudo, mais uma vez ela despertou, estremecendo de medo cósmico, embora não por causa de nada que vira.

Foi um murmúrio grave de vozes que a acordara. Ao abrir os olhos, viu que a fogueira estava minguando. A sensação da alvorada estava no ar. Conseguiu ver que Conan ainda estava sentado sobre a pedra, sua longa espada azulada reluzindo. Agachada ao lado dele, havia outra figura, sobre a qual o fogo lançava um brilho tênue. Ainda sonolenta, Yasmela conseguiu distinguir um nariz adunco e um par de olhos reluzindo sob um turbante branco. O homem falava rápido, em um dialeto semita que ela teve dificuldade em compreender.

— Que Bel definhe o meu braço! Eu digo a verdade! Por Derketo, Conan, eu sou um príncipe dos mentirosos, mas não minto para um velho companheiro. Eu juro pelos dias quando nós éramos ladrões, juntos, na terra de Zamora, antes de você vestir cota de malha!

"Eu vi Natohk. Com os outros, eu me ajoelhei diante dele quando fez encantamentos para Set. Mas eu não enfiei meu nariz na areia como os demais. Sou um ladrão de Shumir, e minha visão é mais aguçada do que a de uma doninha. Eu espiei e vi o seu véu soprando ao vento. Ele soprou para o lado, eu vi... eu vi... Bel me ajude, Conan, eu digo que vi! Meu sangue congelou nas veias e meus cabelos ficaram em pé. O que eu vi queimou a minha alma como um ferro em brasa. Eu não podia descansar até ter certeza.

"Eu viajei até as ruínas de Kuthchemes. A porta de domo de marfim estava aberta, e no limiar da porta estava uma grande serpente, transpassada por uma espada. No interior do domo estava o corpo de um homem, tão definhado e retorcido que, a princípio, mal fui capaz de identificá-lo. Era Shevatas, o zamoriano, o único ladrão no mundo que eu reconheço como sendo meu superior. O tesouro estava intocado, disposto em pilhas reluzentes ao redor do corpo. Mais nada."

— Não havia ossos... — começou Conan.

— Não havia nada! — retrucou o semita apaixonadamente. — Nada! Apenas o corpo!

Por um instante, o silêncio reinou, e, tomada de um súbito horror inominável, Yasmela se encolheu.

— De onde veio Natohk? — ecoou o vibrante sussurro do semita. — Saiu do deserto certa noite, quando o mundo estava feroz e cego, com nuvens escuras conduzidas em um voo frenético ao longo das estrelas estremecidas, e o uivo do vento se misturou aos gritos dos espíritos. Vampiros vagavam naquela noite, bruxas cavalgavam nuas no vendaval, e lobisomens uivavam nas planícies selvagens. Ele veio em um camelo preto, cavalgando como o vento, um fogo profano o cercando, os rastros do animal brilhando no escuro. Quando Natohk desmontou diante do altar de Set, no oásis de Aphaka, a criatura desapareceu na noite. E conversei com homens das tribos que juraram que ela abriu suas asas gigantescas e sumiu nas nuvens, deixando uma trilha de fogo para trás. Desde aquela noite, nenhum homem voltou a ver o camelo, mas uma sombra negra de aspecto humano cambaleou até a tenda de Natohk, conversando com ele na escuridão que precede a alvorada. Vou lhe dizer uma coisa, Conan. Natohk é... Olha, vou mostrar uma imagem do que eu vi naquele dia em Shushan, quando o vento soprou aquele véu.

Yasmela viu o brilho do ouro na mão do semita quando os homens se inclinaram sobre alguma coisa. Ela escutou Conan grunhir. De repente, a escuridão a envolveu. Pela primeira vez na vida, a princesa Yasmela desmaiou.

IV

Alvorada ainda era só uma insinuação branca no leste quando o exército retomou a marcha. Homens das tribos haviam chegado ao acampamento, os cavalos ofegantes por conta do longo percurso, para relatar que a horda tinha acampado no poço de Altaku. Assim, os soldados seguiram em passo acelerado pelas colinas, com as carroças vindo atrás. Yasmela cavalgou com eles, seus olhos assombrados. O horror inominável vinha assumindo uma forma cada vez mais pavorosa desde que ela reconhecera a moeda na mão do semita, na noite anterior... uma daquelas moldadas secretamente pelo infame culto zuguita, contendo as feições de um homem morto havia três mil anos.

O percurso atravessava falésias irregulares e penhascos desolados que se avultavam sobre vales estreitos. Esparsamente vilas se empoleiravam, um amontoado de cabanas de pedra rebocadas com lama. Os homens das tribos se aproximavam para se juntarem aos seus, de modo que, antes de cruzarem as colinas, o contingente fora ampliado em cerca de três mil bravos arqueiros.

Abruptamente deixaram as colinas, recuperando o fôlego na vasta imensidão que se estendia para o sul. Daquele lado, as colinas recuavam de maneira íngreme, marcando uma distinta divisão geográfica entre os planaltos kothianos e o deserto ao sul. As colinas eram a coroa dos planaltos, se estendendo em uma muralha quase ininterrupta. Ali eram nuas e desoladas, habitadas apenas pelo clã Zaheemi, cujo dever era proteger a estrada das caravanas. Após as colinas, o deserto se estendia poeirento e sem vida. Contudo, além daquele horizonte se encontrava o poço de Altaku e a horda de Natohk.

O exército olhou para a passagem de Shamla, pela qual fluía a riqueza do norte e do sul, e através da qual marcharam os exércitos de Koth, Khoraja, Sem, Turan e Estígia. A íngreme muralha de colinas se interrompia naquele ponto. Promontórios corriam para o deserto, formando vales estéreis, todos cercados nas extremidades setentrionais por penhascos acidentados. Ali ficava o lugar conhecido como a passagem de Shamla. Lembrava muito uma enorme mão estendida das colinas; dois dedos, afastados, formavam um vale em forma de leque. Os dedos eram representados por um cume largo de ambos os lados, as laterais externas eram perpendiculares, e as internas, encostas íngremes. O vale se inclinava para o alto à medida que se estreitava, desembocando em um platô flanqueado por encostas. Ali havia um poço e um punhado de torres de pedra ocupadas pelos zaheemis.

Conan parou no platô e desmontou do cavalo. Ele trocara a armadura peitoral pela cota de malha mais familiar. Thespides se aproximou e exigiu saber:

— Por que paramos?

— Vamos esperar por eles aqui — respondeu Conan.

— Seria mais cavalheiresco cavalgar de encontro a eles — retrucou o conde.

— Eles nos esmagariam pela superioridade numérica — argumentou o cimério. — Além do mais, não há água por aí. Acamparemos neste platô...

— Meus cavaleiros e eu acamparemos no vale — informou zangadamente Thespides. — Somos a vanguarda, e nós, pelo menos, não tememos um enxame de esfarrapados do deserto.

O COLOSSO NEGRO

Conan deu de ombros, e o nobre furioso cavalgou para longe. Amalric interrompeu suas ordens gritadas enquanto observava a tropa cintilante descer o penhasco rumo ao vale.

— Idiotas! Logo os seus cantis estarão vazios e terão que cavalgar de volta para o poço para dar de beber aos cavalos.

— Deixe eles irem — replicou Conan. — É difícil para eles aceitar ordens minhas. Diga para os soldados relaxarem e descansarem. Marchamos muito e rápido. Deem água aos cavalos e deixe os homens comerem.

Não havia necessidade de enviar batedores. O deserto se estendia nu até onde a vista alcançava, ainda que esta, naquele momento, estivesse limitada por nuvens baixas que pairavam no horizonte ao sul. A monotonia só era quebrada por um amontoado de ruínas de pedras, alguns quilômetros deserto adentro, supostamente os resquícios de um antigo templo estígio. Conan desmontou os arqueiros e os distribuiu ao longo do cume, ao lado dos guerreiros das tribos. Posicionou os mercenários e os lanceiros de Khoraja sobre o platô, ao lado do poço. Mais atrás, em um ângulo em que a estrada da colina desembocava no platô, montaram o pavilhão de Yasmela.

Sem inimigos à vista, os guerreiros relaxaram. Capacetes foram retirados, barretes foram jogados por cima de ombros, e cintos foram desafivelados. Piadas grosseiras foram contadas enquanto os guerreiros devoravam cortes de carne e enterravam as caras em canecas de cerveja. Ao longo da cordilheira, os montanheses também relaxaram, comendo tâmaras e azeitonas. Amalric se adiantou até Conan, que estava sentado em um pedregulho sem o elmo.

— Conan, você ouviu o que os homens das tribos estão dizendo sobre Natohk? Eles dizem... Por Mitra! É insanidade demais para repetir. O que você acha?

— Às vezes, as sementes descansam sobre o chão por séculos sem apodrecer — foi a resposta de Conan. — Mas, sem dúvida, Natohk é um homem.

— Não tenho tanta certeza — resmungou Amalric. — De qualquer forma, você dispôs nossas tropas tão bem quanto um general experiente teria feito. É certo que os demônios de Natohk não cairão sobre nós sem que estejamos cientes. Por Mitra, mas que neblina!

— A princípio achei que fossem as nuvens — respondeu Conan. — Veja como está avançando!

O que parecera ser nuvens era uma bruma densa que se deslocava rumo ao norte, como um grande oceano instável, rapidamente ocultando da vista o deserto. Logo engolfou as ruínas estígias e seguiu se espalhando pela frente. O exército assistia a tudo, estupefato. Era algo sem precedentes... inatural e inexplicável.

— Não adianta enviar batedores — afirmou Amalric, contrariado. — Não conseguirão enxergar nada. Os limites da névoa estão próximos dos flancos externos dos penhascos. Logo, toda a passagem e as colinas estarão cobertas...

Conan, que observava as névoas se desenrolando com um certo nervosismo crescente, se abaixou de repente e colou o ouvido na terra. Em seguida, se levantou com um salto frenético, praguejando.

— Cavalos e carruagens... são milhares! O chão vibra com a passagem deles. Ei, vocês! — Sua voz cruzou o vale como um trovão, eletrizando os homens preguiçosos. — Peguem as lanças e armaduras, cães! Ocupem seus postos!

Ante a ordem, os guerreiros correram para suas fileiras, vestindo apressadamente os capacetes e passando os braços pelas correias dos escudos. No meio-tempo, a névoa começou a desaparecer, como se não tivesse mais utilidade, porém não evanesceu aos poucos, como uma névoa natural. Simplesmente sumiu, tal qual a chama de uma vela ao ser soprada. Num momento, todo o deserto estava escondido pelas ondas que se moviam em vagalhões, se avolumando como montanhas, uma camada sobre a outra. Logo em seguida, o sol brilhava em um céu sem nuvens sobre o deserto nu, não mais vazio, mas abarrotado de toda pompa viva da guerra. Um grande brado ecoou pelas colinas.

À primeira vista, os guerreiros pareciam olhar para um mar de bronze e ouro reluzente, em que pontas de aço brilhavam como uma pletora de estrelas. Com o desaparecimento da neblina, os invasores, como se tivessem congelados, se detiveram em várias longas fileiras.

Primeiro havia uma longa ala de carruagens puxadas pelos ferozes cavalos de estígia com plumas sobre as cabeças, relinchando e empinando quando seus montadores nus se reclinavam para trás, se apoiando nas poderosas pernas traseiras, com os músculos dos braços escuros retesados. Os guerreiros nas carruagens eram altos, as feições de aves de rapina encimadas por elmos de bronze decorados por uma lua crescente sustentando uma bola dourada. Traziam pesados arcos nas mãos, mas não eram arqueiros comuns, e, sim, nobres do sul, criados para guerrear e caçar. Homens acostumados a derrubar leões com suas flechas.

Atrás deles vinha um conjunto heterogêneo de selvagens montados em cavalos parcialmente domesticados, os guerreiros de Kush, o primeiro dos grandes reinos negros das planícies ao sul da Estígia. Eram da cor do ébano, brilhantes, magros e ágeis, cavalgando nus, sem selas nem rédeas.

Logo em seguida, uma verdadeira horda parecia cobrir todo o deserto. Milhares e milhares dos aguerridos Filhos de Sem. Alas de cavaleiros usando cota de malha e capacetes cilíndricos, os asshuri de Nippur, Shumir e Eruk e suas cidades irmãs. Hordas selvagens trajando mantos brancos... os clãs nômades.

As fileiras começaram a se movimentar. As carruagens passaram para as laterais, enquanto o grupo principal se adiantou, incerto.

Lá embaixo no vale, os cavaleiros montaram, e o conde Thespides galopava encosta acima até onde Conan estava. Não se dignou a desmontar e do alto da sela falou abruptamente:

— O desaparecimento da neblina os confundiu. Agora é a hora de atacar! Os kushitas não têm arcos e eles mascaram todo o avanço. Uma carga dos meus cavaleiros os destroçará de volta para as fileiras semitas, dando fim à formação. Sigam-me! Venceremos a batalha com um único golpe!

Conan sacudiu a cabeça.

— Se estivéssemos enfrentando um oponente natural, eu concordaria. Mas esta confusão é mais falsa do que real, como que para nos levar a atacar. Receio que seja uma armadilha.

— Então se recusa a atacar? — gritou Thespides, com o rosto encolerizado.

— Seja razoável — argumentou Conan. — Temos a vantagem da posição...

Com um brado furioso, Thespides virou a montaria e cavalgou de volta para o vale, onde seus cavaleiros o aguardavam impacientemente. Amalric balançou a cabeça.

— Não deveria tê-lo deixado retornar, Conan. Eu... olhe ali!

Conan praguejou. Thespides havia chegado até seus homens. Mal dava para escutar sua voz exaltada ao longe, mas os gestos que fez em direção à horda que se aproximava eram suficientemente claros. No instante seguinte, quinhentas lanças se inclinaram, e o companhia armada desceu o vale trovejando.

Um jovem pajem veio correndo do pavilhão de Yasmela, gritando para Conan com uma voz esganiçada.

— Meu senhor, a princesa pergunta por que não segue e apoia a investida do conde Thespides?

— Porque eu não sou um grande idiota, como ele é — resmungou Conan, voltando a se sentar no pedregulho e se pondo a roer uma enorme bisteca.

— A autoridade o deixou sóbrio — avaliou Amalric. — Loucuras como aquela sempre foram a sua diversão particular.

— Sim, quando tinha que pensar apenas na minha vida — retrucou Conan. — Agora... Mas que diabos...?

A horda havia parado. Da ala mais extrema veio uma carruagem, o condutor nu chicoteando os cavalos como um louco. O outro ocupante era uma figura alta, cujos mantos flutuavam ao vento de modo espectral. Segurava uma grande jarra de ouro, da qual despejava uma substância fina que reluzia à luz do sol. A carruagem cruzou toda a dianteira da horda do deserto e ao passar deixou em seu rastro uma comprida fileira daquele pó reluzindo nas areias como a trilha fosforescente de uma serpente.

— Aquele é Natohk! — esbravejou Amalric. — Que sementes infernais ele está plantando!?

Os cavaleiros de Thespides não reduziram em nada a velocidade da investida. Mais cinquenta passos e se chocariam com a fileiras irregulares de kushitas, que continuavam imóveis com as lanças erguidas. Logo os primeiros cavaleiros alcançaram a linha do pó brilhante despejado ao longo das areias. Não deram atenção à ameaça iminente, mas assim que os cascos dos cavalos a tocaram, foi como o aço atingindo pederneira... porém com resultados muito mais terríveis. Uma incrível explosão sacudiu o deserto, parecendo dividi-lo ao meio, criando uma medonha parede de chama branca ao longo de toda a linha semeada.

Em um instante, toda a primeira fileira de cavaleiros foi envolvida pelas chamas, e cavalos e cavaleiros se contorceram no brilho como insetos em uma fogueira. As fileiras que vinham atrás se empilhavam sobre os corpos calcificados. Incapazes de interromper a cavalgada, as alas colidiram, uma a uma, com a ruína. De modo repentino e hediondo, o ataque se transformara em um matadouro, em que figuras de armadura pereciam em meio a gritos e aos cavalos mutilados.

Então a ilusão de confusão desapareceu, e a horda alinhou suas fileiras. Os selvagens kushitas investiram contra os cavaleiros, transpassando os feridos com suas lanças e destruindo capacetes com machados de ferro e de pedra. Tudo acabou tão rápido que os vigias nas colinas ainda estavam petrificados, e mais uma vez a horda avançou, se dividindo para evitar os cadáveres chamuscados. Das colinas veio um grito.

— Não enfrentamos homens, mas, sim, demônios.

De ambos os lados do cume, os montanheses titubearam. Um deles correu em direção ao platô, a saliva escorrendo por sua barba.

— Fujam, fujam! — choramingava. — Quem pode lutar contra a magia de Natohk?

Com um rosnado, Conan se levantou de seu pedregulho e o golpeou com a bisteca. O homem foi ao chão, sangue escorrendo pelo nariz e pela boca. O cimério desembainhou a espada. Seus olhos eram duas fendas de fogo azul.

— Voltem para os seus postos! — vociferou. — Se mais alguém recuar um passo que seja, eu deceparei a sua cabeça! Lutem, malditos!

O alvoroço morreu tão rápido quanto começara. A feroz personalidade de Conan foi como um balde de água gelada apagando as chamas do pânico.

— Aos seus lugares — orientou rapidamente. — E não saiam deles! Neste dia, nenhum homem ou demônio atravessará a passagem de Shamla!

No ponto em que o cume do platô se encontrava com a encosta do vale, os mercenários afivelaram seus cinturões e seguraram firme as lanças. Atrás deles, lanceiros montavam nos seus corcéis, e, para esquerda, estava postados os piqueiros de Khoraja, como reserva. Para Yasmela, pálida e sem palavras ao lado da entrada de sua tenda, a tropa parecia um lamentável punhado quando comparada com a horda do deserto.

Conan se postou ao lado dos piqueiros. Sabia que os invasores não tentariam cruzar a passagem com uma carruagem, pois cairiam nas garras dos arqueiros, contudo deixou escapar um grunhido de surpresa ao ver os condutores desmontando. Aqueles selvagens não traziam comboios de suprimentos. Havia cantis e bolsas penduradas nas selas, e Conan os viu beberem o que lhes restava de água, jogando fora os cantis.

— Estão fazendo as pazes com a morte — murmurou enquanto as fileiras inimigas se reorganizavam a pé. — Preferia que fosse um ataque da cavalaria... cavalos feridos fogem e arruínam formações.

A horda entrou em uma enorme formação, na ponta da qual estavam os estígios, e o corpo era representado pelos asshuri de armaduras, flanqueados pelos nômades. Em formação compacta, de escudos erguidos, eles arremeteram. Ao fundo, uma figura alta em uma carruagem imóvel ergueu os braços cobertos por mangas, em uma invocação soturna.

Quando a horda adentrou a boca do vale, os montanheses atiraram suas flechas. A despeito da formação defensiva, guerreiros tombavam às dúzias. Os estígios haviam descartado seus arcos e com as cabeças protegidas pelos elmos inclinadas para frente e os olhos negros cintilando acima da borda dos escudos, avançavam em uma onda inexorável, pisando nos companheiros caídos. Conan olhou para além da onda de lanças, se perguntando que novo horror o feiticeiro invocaria. De algum modo ele pressentia que Natohk, como todos igual a ele, era mais perigoso na defesa do que no ataque. Tomar ofensiva contra ele seria um convite para o desastre.

Mas decerto era a magia que impelia a horda para a bocarra da morte. Conan suspirou ante a carnificina que ocorria nas fileiras que se adiantavam. As beiradas da formação pareciam se desfazer, e o vale já se encontrava apinhado de mortos. Contudo, os sobreviventes avançavam como loucos, ignorando a morte. A enorme quantidade de arqueiros inimigos começava a superar os homens nas colinas. Nuvens de flechas obrigavam os montanheses a procurar abrigo. O pânico se instaurou nos corações deles diante do avanço implacável, os levando a disparar a esmo, com olhos inquietos como os de lobos em uma armadilha.

Conforme a horda se aproximava da parte mais estreita da passagem, rochedos deslizaram, esmagando homens aos montes, mas a investida não esmoreceu. Os lobos de Conan se prepararam para o choque inevitável. Em uma formação mais compacta, usando armaduras de melhor qualidade, haviam sofrido poucos danos das flechas. Conan receava o impacto da investida quando a enorme frente se chocasse contra as finas fileiras. E naquele momento percebeu que não haveria como evitar o violento assalto. Ele agarrou pelo ombro um zaheemi que estava próximo.

— Há alguma maneira de homens a cavalo chegarem ao vale, contornando o cume ocidental?

— Tem um caminho íngreme, perigoso, secreto e eternamente guardado. Mas...

Conan já o estava arrastando para onde estava Amalric com seu enorme cavalo de guerra.

— Amalric! — esbravejou. — Siga este homem! Ele o levará até o vale externo. Cavalgue até lá, contorne as colinas e ataque a horda por trás. Não diga nada, apenas vá! Sei que é loucura, mas estamos condenados de qualquer forma. Vamos causar o máximo de danos antes de tombarmos! Rápido!

Os bigodes de Amalric se eriçaram em um sorriso feroz, e poucos minutos depois seus lanceiros estavam seguindo o guia em um labirinto de desfiladeiros que levava para fora do platô. Conan, de espada em punho, voltou para junto dos piqueiros.

E retornou na hora certa. De ambos os lados das colinas, os montanheses shupras enlouquecidos pela antecipação da derrota disparavam suas setas em desespero. Homens caíam como moscas no vale e ao longo do desfiladeiro. Com um rugido e uma incontível arremetida, os estígios colidiram com os mercenários.

Em um furacão de aço trovejante, as alas se retorceram e oscilaram. Eram os nobres criados na guerra contra soldados profissionais.

Escudos se chocavam contra escudos, e, entre eles, lanças estocavam e o sangue vertia.

Do outro lado do mar de espadas, Conan avistou o físico poderoso do príncipe Kutamun, mas a fúria da batalha o impedia de avançar, de peito a peito com formas escuras ofegando e retalhando. Atrás dos estígios, os asshuri se adiantavam e gritavam.

De ambos os lados, os nômades escalavam os rochedos e se engalfinharam com o povo da montanha. Por toda a encosta, o combate irrompia em uma ferocidade cega. Os homens das tribos, ensandecidos pelo fanatismo e por rixas antigas, matavam e morriam. Com os cabelos esvoaçando ao vento, os kushitas corriam uivando na direção da luta.

Com a visão prejudicada pelo suor, Conan parecia estar olhando para um oceano de aço que retalhava e girava, preenchendo o vale de uma ponta à outra. A batalha chegara a um impasse sangrento. Os montanheses mantinham o controle dos cumes, e os mercenários, segurando os piques ensanguentados com vontade, firmando os pés na terra empapada de sangue, defendiam a passagem. O posicionamento mais vantajoso e armaduras superiores compensavam a desvantagem numérica, mas não seria por muito tempo. Onda após onda, rostos insanos e lanças pontiagudas subiam penhascos, com os asshuri preenchendo as lacunas deixadas nas fileiras do estígios.

Conan tentou ver se os lanceiros de Amalric estavam contornando a encosta oeste, mas eles não apareciam, e seus piqueiros começavam a recuar ante as arremetidas. E o cimério abandonou qualquer esperança de vencer e sobreviver. Berrando uma ordem para seus atônitos capitães, abandonou a posição e correu ao longo do platô até os reservas de Khoraja, que permaneciam aguardando, tremendo de ansiedade. Sequer olhou na direção do pavilhão de Yasmela. Havia se esquecido por completo da princesa. A única coisa que ocupava seus pensamentos era o instinto selvagem de matar antes de morrer.

— No dia de hoje, vocês se tornarão cavaleiros! — Ele gargalhou ferozmente, apontando a espada ensanguentada na direção dos cavalos dos montanheses, agrupados ali perto. — Montem e me sigam até o inferno!

Os cavalos montanheses empinaram agitadamente ante o clangor desconhecido das armaduras kothianas, e a gargalhada tempestuosa de Conan se ergueu acima do barulho enquanto ele os liderava até a saliência oriental que se estendia para longe do platô. Quinhentos homens — patrícios empobrecidos, filhos caçulas, ovelhas negras — sobre cavalos parcialmente selvagens investindo contra um exército, descendo por uma encosta de onde nenhuma cavalaria jamais ousaria atacar.

Ribombando, atravessaram a boca ensanguentada da passagem, percorreram a saliência coberta de cadáveres e desceram a encosta. Um grupo escorregou e rolou para baixo dos cascos dos companheiros. Debaixo deles homens gritavam com os braços erguidos, mas a investida trovejante avançou direto, como uma avalanche ceifando uma floresta de árvores novas, e os khorajis foram na direção da multidão compacta, deixando para trás um tapete pisoteado de mortos.

Enquanto a horda se retorcia e girava em torno de si mesma, os lanceiros de Amalric, tendo atravessado um cordão de cavaleiros encontrados no vale externo, rodearam a extremidade da saliência oriental e atacaram a horda em uma formação de angulosa com a ponta de aço, a partindo ao meio. A carga continha toda a estonteante desmoralização de um ataque-surpresa pela retaguarda. Pensando que estavam sendo flanqueados por uma força superior, e frenéticos ante o pavor de terem a rota de fuga bloqueada, bandos de nômades romperam a formação e debandaram, provocando desordem nas fileiras de seus companheiros mais comprometidos. Estes vacilaram e acabaram pisoteados pelos cavalos. Nos cumes, os guerreiros do deserto titubearam, permitindo que os montanheses os rechaçassem com fúria renovada, os forçando a recuar encosta abaixo.

Atordoada pela surpresa, a horda rompeu a formação antes mesmo de se dar conta de que era atacada apenas por um punhado de homens. E, uma vez dispersa, nem mesmo um mago seria capaz de reunir aquela horda. Além do mar de cabeças e lanças, os homens de Conan avistaram os cavaleiros de Amalric avançando em ritmo constante, abrindo caminho com golpes de machados de guerra e maças. Um vitorioso alarido raivoso se instalou no coração de cada homem, transformado braços em puro aço.

Firmando os pés no mar de sangue, cujas ondas escarlates chegavam a bater na altura dos tornozelos, os piqueiros na boca da passagem arremeteram, se chocando contra as fileiras inimigas. Os estígios mantiveram a posição, mas atrás deles os asshuri se dissolveram. Os mercenários passaram por cima dos corpos dos nobres do sul, que lutaram e morreram até o último homem, dividindo e esmagando a massa oscilante pela retaguarda.

No alto dos rochedos, o velho Shupras tombara com uma flecha atravessada no coração. Amalric estava caído, praguejando como um pirata por conta da lança que lhe atravessara a cota de malha da perna. Pouco mais de cento e cinquenta homens da infantaria montada de Conan ainda se mantinham nas selas. A horda, contudo, estava em frangalhos. Nômades e lanceiros fugiam de volta para o acampamento onde estavam seus cavalos, e os montanheses inundaram os rochedos, apunhalando os fugitivos pelas costas e rasgando as gargantas dos feridos.

No caos vermelho, uma terrível assombração subitamente apareceu diante da empinada montaria de Conan. Era o príncipe

Kutamun, quase nu, vestindo apenas uma tanga, sua armadura destruída, o elmo amassado, os lábios sujos de sangue. Com um grito terrível, ele arremessou o punho da espada quebrada contra o rosto de Conan e, com um salto, agarrou as rédeas do garanhão. Surpreendido, o cimério se desequilibrou na sela, e, com uma força pavorosa, o gigante de pele escura forçou o animal para frente e para trás, até este tropeçar e chafurdar na gosma de areia misturada ao sangue e corpos contorcidos.

Conan saltou para longe quando o cavalo tombou, e, com um rugido, Kutamun avançou sobre ele. Naquela batalha caótica, o bárbaro jamais soube como foi exatamente que matou o homem. Sabia apenas que uma pedra na mão do estígio golpeava seu elmo sem parar, deixando a vista salpicada de pontos pretos, enquanto Conan repetidamente enfiava o punhal no tronco do inimigo, sem ver qualquer resultado aparente no príncipe corpulento. Seu mundo estava girando quando, com um tremor convulsivo, o corpo que pressionava o seu enrijeceu e tombou.

Sentindo o sangue escorrer pelo rosto sob o elmo amassado, Conan recuou. Tonto, olhou para a profusão de destruição que se estendia à sua volta. De um cume a outro, a morte se estendia como um tapete vermelho que sufocava o vale. Parecia um oceano escarlate, com cada fileira de cadáveres representando uma onda. Eles fechavam a entrada da passagem, se empilhando nos rochedos. Por todo o deserto, a carnificina prosseguia, e os sobreviventes, chegando aos seus cavalos, galopavam em fuga, perseguidos pelos vitoriosos cansados. E, chocado, Conan se deu conta de como sobraram poucos para persegui-los.

De repente, um pavoroso grito cortou o clamor. Vale acima, uma carruagem veio voando, ignorando por completo as pilhas de corpos. Não era puxada por cavalos, mas por uma grande criatura preta que se assemelhava a um camelo. Na carruagem estava Natohk, com seus mantos esvoaçantes, segurando as rédeas e chicoteando o animal como um louco. Havia também uma enorme criatura escura e antropomórfica que poderia muito bem ser um tipo monstruoso de símio.

A biga passou pelos rochedos e seguiu direto para o pavilhão onde Yasmela estava sozinha, desertada pelos guardas que a haviam abandonado em meio ao frenesi insano de perseguição aos inimigos. Conan, petrificado, ouviu o grito desesperado da princesa quando o braço delgado de Natohk a puxou para dentro da biga. A sinistra montaria fez a volta e desceu novamente o vale. Nenhum dos homens ousou arremessar uma lança ou disparar flechas, temendo ferir Yasmela, que se debatia nos braços de Natohk.

Com um grito de fúria, Conan pegou a espada caída e pulou na frente daquele horror. Contudo, assim que ergueu a espada, as patas dianteiras da fera o atingiram, o arremessando a metros de distância, atordoado e machucado. A biga se afastou, deixando em seus ouvidos os gritos apavorados de Yasmela.

Um urro que nada tinha de humano escapuliu dos lábios do cimério quando Conan agarrou as rédeas de um cavalo sem dono que passava a galope por ele, e ele montou na sela do animal sem que este sequer tivesse de reduzir o passo. Pouco se importando com o próprio bem-estar, saiu em perseguição à carruagem, atravessando como um tornado o acampamento dos semitas. Seguiu para o deserto, deixando para trás seus cavaleiros e os apressados homens do deserto.

A perseguição de Conan à biga prosseguiu, embora o cavalo estivesse começando a ficar para trás. Adiante, havia apenas a areia banhada pelo esplendor lúrido e desolado do entardecer. Mais à frente apareceram ruínas antigas, e com um urro que congelou o sangue de Conan o condutor inumano da biga empurrou Natohk e a moça para fora. Ante os olhos atônitos do bárbaro, a carruagem e seu corcel se transformaram pavorosamente. Enormes asas se abriram naquele horror sombrio, que de alguma forma se assemelhava a um camelo, e a criatura arremeteu para o céu, deixando para trás um rastro de chamas no qual uma silhueta de contornos inumanos ria em assustador triunfo. Passou tão rapidamente que foi como a precipitação de um pesadelo sobre um sonho assombrado.

Natohk se pôs de pé, lançou um rápido olhar para seu perseguidor — que, sem desacelerar, continuava cavalgando firme em sua direção, brandindo a espada ensanguentada — e, apanhando a garota desmaiada, correu para dentro das ruínas.

Saltando do cavalo, Conan foi atrás deles. Chegou a um recinto que irradiava um brilho profano, embora o crepúsculo já se aproximasse rapidamente do lado de fora. Yasmela estava deitada em um altar de jade preto, seu corpo nu parecendo mármore naquela estranha luminescência. Suas vestes estavam jogadas no chão, como se tivessem sido arrancados com brutal pressa. Natohk, inumanamente alto e delgado, trajando um cintilante manto de seda, encarava o cimério. Ele tirou o véu, e Conan reconheceu as feições que ele vira representadas na moeda zuguita.

— Isso mesmo, cão! — A voz era o sibilar de uma serpente gigantesca. — Eu sou Thugra Khotan! Permaneci tempo demais em minha tumba, aguardando o dia de despertar e de me libertar. As artes que me salvaram dos bárbaros há tanto tempo também me aprisionaram, mas eu sabia que, na hora certa, alguém viria... e veio, cumprindo o seu destino, e morrendo como nenhum homem morreu em três mil anos!

"Tolo, acha que me derrotou porque meus exércitos se dissiparam? Porque eu fui traído e abandonado pelo demônio que eu escravizei? Eu sou Thugra Khotan, que governará o mundo apesar dos seus deuses insignificantes! O deserto está repleto do meu povo, os demônios da terra farão a minha vontade, como os répteis da terra já me obedecem. Luxúria por uma mulher enfraqueceu a minha feitiçaria. Agora, a mulher é minha, e, me banqueteando com a alma dela, eu serei invencível! Para trás, tolo! Você não derrotou Thugra Khotan!"

Ele arremessou o cajado aos pés de Conan, que recuou com um grito involuntário, pois, ao cair, o objeto se transformou de maneira horripilante. Seus contornos derreteram e se contorceram, e uma cobra naja se empertigou, sibilando diante do cimério horrorizado. Praguejando, Conan atacou, partindo a serpente ao meio com a espada. Contudo, tudo que viu aos seus pés foram as duas metades de um cajado partido. Thugra Khotan riu assustadoramente, e, se virando, apanhou algo que rastejava no chão empoeirado.

Em sua mão estendida, um ser vivo se debatia e salivava. Desta vez, não era um truque das sombras. Thugra Khotan segurava na palma um escorpião negro, com mais de trinta centímetros de comprimento. A criatura mais mortífera do deserto, detentora de uma cauda venenosa cujo ataque significava morte instantânea. As feições cadavéricas do feiticeiro se retorceram em um sorriso. Conan hesitou. Em seguida, sem qualquer aviso, arremessou a espada.

Apanhado de surpresa, Thugra Khotan não teve tempo de evitar o ataque. A ponta perfurou o diretamente abaixo do coração, emergindo cerca de um palmo para fora de suas costas. Ele tombou, esmagando o monstro peçonhento com um aperto da mão.

Conan correu até o altar e tomou Yasmela nos braços manchados de sangue. Ela convulsivamente abraçou o pescoço do bárbaro e começou a soluçar de maneira histérica enquanto se apertava com firmeza de encontro a ele.

— Demônios de Crom, garota! — grunhiu o cimério. — Me largue! Cinquenta mil homens pereceram hoje, e ainda tenho trabalho a fazer...

— Não! — ofegou ela, o agarrando com força. Naquele instante, com seu medo e sua paixão, era tão bárbara quanto ele. — Não vou soltar você! Eu sou sua, pelo fogo, pelo aço e pelo sangue! Você é meu. Lá fora, pertenço aos outros. Aqui, eu sou minha... e sua! Você não irá!

Ele hesitou, o próprio cérebro rodopiando ante o feroz levante de violentas paixões. O brilho lúrido e sobrenatural ainda pairava na câmara sombria, iluminando fantasmagoricamente o rosto de Thugra Khotan, que parecia estar sorrindo para eles sem qualquer alegria. Lá fora, no deserto e nas colinas, em meio a um oceano de vítimas, homens pereciam e uivavam de dor, sede e loucura, enquanto reinos estavam em jogo. Mas tudo foi varrido pela maré rubra que atingiu selvagemente a alma de Conan enquanto apertava nos braços de ferro o pálido corpo magro que brilhava como o fogo arcano da loucura diante dele.

GALERIA DE CAPAS

As capas da *Weird Tales* diziam muito sobre o teor das histórias presentes nas edições com temas apelativos que mesclavam violência e erotismo – temas usuais de protagonistas masculinos ao lado de mulheres "sensuais", quase sempre seminuas, normalmente em perigo frente a forças sobrenaturais. Muitos não sabem, mas os trabalhos de Robert E. Howard foram, em sua maioria, ilustrados por uma mulher, Margaret Brundage, que produzia as capas para a *Weird Tales*. Formada na Chicago Academy of Fine Arts, Margaret se especializou em ilustrações *pulp* e pinturas com giz pastel.

A FÊNIX NA ESPADA

História originalmente publicada em *Weird Tales* – dezembro de 1932.

A CIDADELA ESCARLATE

História originalmente publicada em *Weird Tales* – janeiro de 1933.

A TORRE DO ELEFANTE

História originalmente publicada em *Weird Tales* – março de 1933.

O COLOSSO NEGRO

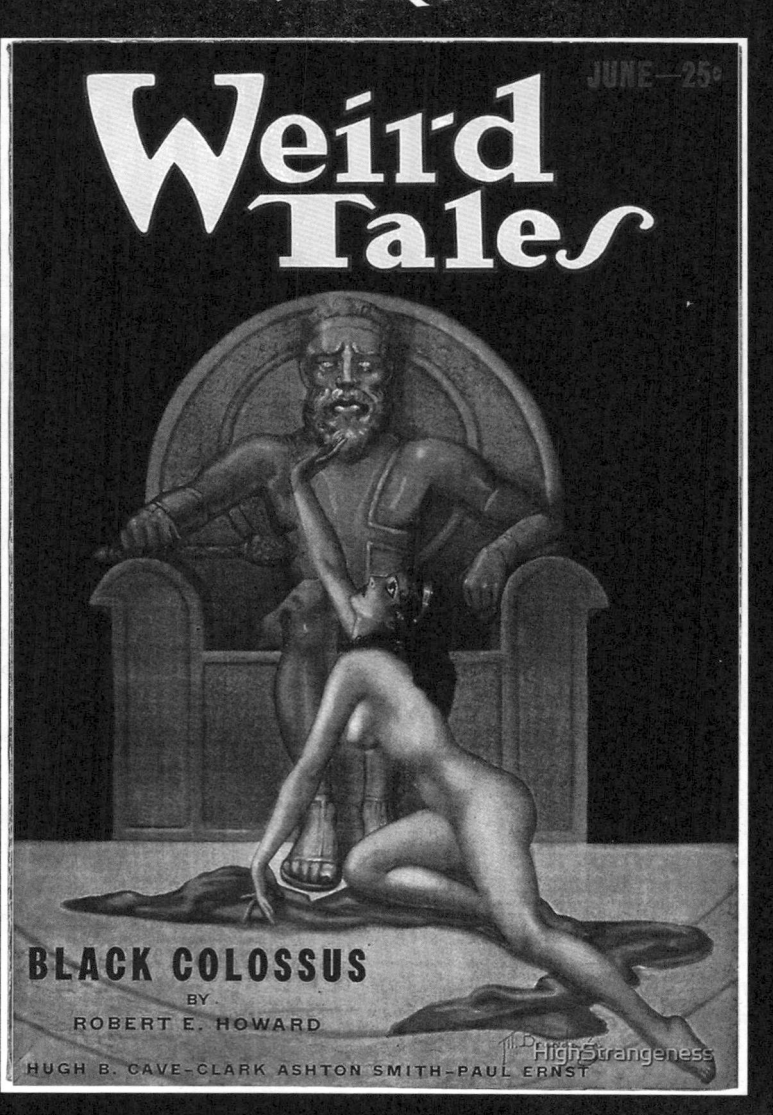

História originalmente publicada em *Weird Tales* – junho de 1933.

Robert E. Howard

INFORMAÇÕES SOBRE NOSSAS PUBLICAÇÕES
E NOSSOS ÚLTIMOS LANÇAMENTOS

🌐 editorapandorga.com.br
f /editorapandorga
📷 @pandorgaeditora
🐦 @editorapandorga

PandorgA